LE SUICIDE

MARIE BARDET

LES ESSENTIELS MILAN

Sommaire

Question de définition

Terminologie 4-5
Théories 6-7
Interprétations 8-9

Statistiques et épidémiologie

Une « épidémie » mondiale 10-11
La France, un pays très touché 12-13
Les morts par suicide 14-15
Tentative de suicide :
les facteurs de risque 16-17

Clinique des conduites suicidaires

L'adieu à la vie 18-19
La pulsion de mort 20-21
Le normal et le pathologique 22-23
Dépression et acte suicidaire 24-25

Soins

L'accueil d'urgence du suicidant 26-27
Prise en charge (1) : la réponse institutionnelle 28-29
Prise en charge (2) : des solutions extra-hospitalières 30-31
La famille, au carrefour de la culpabilité 32-33

Prévention

En parler pour l'éviter 34-35
Adolescents : les signaux d'alarme 36-37

La morale de l'Histoire

Dans l'Antiquité : l'héroïsme avant tout 38-39
Au Moyen Âge : un crime contre Dieu et l'Église 40-41
La levée des tabous 42-43
L'Orient : un autre regard 44-45

En débat

Le suicide et la loi française 46-47
L'assistance au suicide 48-49
Le suicide philosophique 50-51
Penser le suicide aide à vivre 52-53
Van Gogh, « suicidé de la société » ? 54-55

Approfondir

Adresses utiles 56-57
Glossaire 58 à 60
Bibliographie 61-62
Index 63

Les mots suivis d'un astérisque (*) sont expliqués dans le glossaire.

Le suicide

Depuis l'Antiquité la plus reculée jusqu'à aujourd'hui, des hommes et des femmes ont choisi de se donner la mort. Ce choix n'a jamais laissé indifférent. En Occident, sous le poids de la morale chrétienne, il a été longtemps réprimé et condamné. C'est que le volontaire de la mort dresse le procès de la vie en général, et par là même celui de ses parents, de ses proches et de la société ; une attitude que les pouvoirs politiques et religieux ont toujours très mal tolérée. Quelques philosophes ont su cependant s'élever contre cette morale et donner du crédit à la mort volontaire, comme preuve de la maîtrise de l'homme sur son destin.

En France, les pouvoirs publics restent étonnamment passifs devant ce phénomène en constante augmentation. Pourtant, on sait aujourd'hui que le suicide est rarement un acte isolé mais qu'il prend tout son sens par rapport à un contexte social, économique et relationnel. L'hypothèse de la folie, qui a longtemps servi d'explication au passage à l'acte, est loin d'être satisfaisante. Depuis Freud, on sait que tout homme est divisé par des pulsions contradictoires de vie et de mort. Les recherches actuelles en psychologie montrent que la problématique suicidaire s'inscrit elle aussi dans une relation d'ambivalence entre vouloir-vivre (une autre vie) et vouloir-mourir. Comme a su parfaitement l'exprimer Schopenhauer, « *celui qui se donne la mort voudrait vivre* ». La prévention du suicide tire sa justification et sa force de ce paradoxe.

Terminologie

Suicide,
tentative de suicide,
conduites à risque.
Comment les distinguer ?

« Le suicide,
une mystérieuse
voie de fait
sur l'inconnu. »
**Victor Hugo
(1802-1885).**

Suicide

Le mot suicide, qui vient du latin *sui*, « de soi », et *caedere*, « tuer », est apparu il y a seulement un peu plus de deux cents ans. C'est l'abbé Desfontaines, dans le *Supplément du Dictionnaire de Trévoux* publié en 1752, qui l'emploie le premier. Auparavant, on parlait du « meurtre de soi-même ».

Selon la définition qu'en donne *Le Petit Larousse*, le suicide est « *l'action de se donner soi-même la mort* ». Il existe, au terme de « suicide » de nombreuses expressions synonymes, parmi lesquelles : « mettre fin à ses jours », « se supprimer », « se détruire », etc. Les suicidologues*, quant à eux, emploient plus volontiers l'expression de « mort volontaire ». Mais l'Organisation mondiale de la santé (OMS), qui étudie le phénomène du suicide à l'échelle de la planète, en donne une définition plus nuancée. Elle parle d'un « *attentat contre sa propre personne, avec un degré variable dans l'intention de mourir* ».

Tentative de suicide (TS)

Une tentative de suicide (ou TS, en jargon médical) est un acte délibéré par lequel un individu se cause un préjudice physique, dans l'intention de se donner la mort ou d'obtenir un changement d'état (mettre fin à une souffrance psychique et/ou physique), mais dont l'issue n'est pas fatale.

« Si tu veux
renaître, alors,
commence
par mourir. »
**David S. Ware,
musicien de jazz.**

Les tentatives de suicide sont parfois qualifiées de « suicides ratés »... (mais dans quelle mesure réussit-on un suicide ?). Plus généralement, elles sont considérées comme des « appels au secours », sortes de signaux de détresse

DÉFINITION | STATISTIQUES | CLINIQUE | SOINS

envoyés par une personne à son entourage dans le but d'attirer son attention.

Un des problèmes majeurs que posent les TS est leur répétition potentielle, qualifiée de récidive*. Selon les enquêtes, entre 30 % et 50 % des suicidants ont déjà effectué au moins une tentative de suicide, et le risque de mort augmente avec le nombre de récidives.

Suicidé
On appelle « suicidé(e)s » les personnes mortes par suicide.

Conduites à risque

Les conduites à risque sont des comportements dangereux par lesquels une personne se trouve dans un état proche du suicide ou de la tentative de suicide, mais où la mort n'est pas consciemment recherchée.

On les qualifie également de conduites « ordaliques* » ou, plus simplement, de « flirt avec la mort ».

Certaines conduites à risque sont aisément repérables, comme la toxicomanie ou l'alcoolisme. Mais il en existe aussi qui se cachent derrière des conduites en apparence anodines ou banalisées socialement (sports « de l'extrême », conduite « sportive », etc.).

L'adolescence, dans sa recherche du dépassement et dans le jeu avec les limites, est une période de la vie particulièrement propice aux conduites à risque.

Il y a les morts par suicide… et les rescapés, ceux qui ont fait une tentative de suicide. Et puis il y a tous les autres, qui, sans aller jusqu'à mettre sciemment leurs jours en danger, « flirtent » avec la mort.

« Suicidant » et « suicidaire »
On appelle « suicidant(e)s » les personnes ayant tenté de se suicider, et « suicidaires » les personnes disposées à se suicider ou tentées de le faire.

Théories

Les théories du suicide au XIXᵉ siècle explorent séparément les domaines de la folie et des rapports sociaux. Tandis que le XXᵉ siècle recherchera une explication psychosociologique.

Un dérèglement psychique

Le suicide a longtemps été considéré comme un phénomène relevant du psychisme* et déterminé par des causes personnelles, intimes. L'excuse de la folie est invoquée dès le XVIIIᵉ siècle, mais c'est avec la naissance de la psychiatrie moderne, au XIXᵉ siècle, qu'elle commence à tenir lieu d'explication scientifique. En 1838, le docteur Dominique Esquirol (1772-1840), chef de la réforme psychiatrique en France, affirme que « *tous les suicidés sont des aliénés* ». Ce dogme sera repris sans discussion jusqu'à la Seconde Guerre mondiale et nombre de suicidants* verront alors se refermer sur eux les portes des asiles.

À l'heure actuelle, les psychiatres admettent que tous les suicidants ne sont pas des malades mentaux, mais ils continuent de voir dans l'acte suicidaire quelque chose de foncièrement pathologique*, puisque contraire à l'instinct « normal » de conservation.

Un phénomène sociologique

En 1897, avec *Le Suicide*, le sociologue français Émile Durkheim pose les fondements de la sociologie moderne. En s'appuyant sur des statistiques mondiales, il montre que le suicide est un phénomène constant que ne peuvent expliquer les seules déterminations individuelles. À ses yeux, la cause profonde du suicide est à rechercher dans le degré d'intégration des individus dans la société, et dans l'action régulatrice que celle-ci exerce sur leur psychisme*. Il distingue trois types de mort volontaire : le suicide altruiste, le suicide égoïste et le suicide anomique.

Le suicide altruiste revient à se sacrifier à des fins sociales : il caractérise des sociétés où l'individu est fortement soumis aux valeurs collectives, comme dans les sociétés primitives (par exemple, le suicide-sacrifice des vieillards chez les

DÉFINITION | STATISTIQUES | CLINIQUE | SOINS

Esquimaux autrefois, pour ne pas être à la charge de la communauté). Dans le suicide altruiste, la pression sociale n'est pas la cause du sacrifice de soi, mais fournit le contexte qui favorise un tel acte. Cela suppose que le suicide soit socialement valorisé et que l'individu qui se supprime soit convaincu de rendre service à la collectivité.

Le suicide égoïste résulte au contraire d'un affaiblissement des normes sociales : l'apparente liberté dont jouit l'individu le conduit, en fait, à l'insatisfaction puis au désespoir, comme dans nos sociétés occidentales actuelles.

Enfin, le suicide anomique intervient dans des sociétés où, sous l'effet d'une transformation brutale (mutation technologique, crise économique, etc.), les principaux repères et valeurs communes s'effondrent.

La théorie durkheimienne a été discutée, affinée, notamment par le sociologue français Maurice Halbwachs (mort à Buchenwald en 1945), mais elle continue de faire référence.

La théorie psychologique

Dans la première moitié du XXᵉ siècle, le développement de la psychanalyse, d'une part, et les premières études concrètes menées auprès des suicidants, d'autre part, donnent naissance à la théorie psychologique du suicide. Utilisant à la fois les méthodes statistiques et cliniques*, celle-ci envisage le suicidant dans sa globalité physique, psychique (consciente et inconsciente) et sociale. Elle ne s'arrête plus à la visée première de l'acte suicidaire (la mort), mais cherche à mettre au jour son sens caché, pour l'individu et par rapport à son milieu. La suicidologie*, jeune discipline apparue au début des années 1960, et qui entend prévenir le suicide, en découle directement.

Au XXᵉ siècle, le suicidé n'est plus seulement un aliéné, ni une victime de la société, mais un être qui se débat avec des difficultés psychologiques dues à un rapport fragilisé avec son milieu social.

Interprétations

Les cliniciens* s'attachent à interpréter les conduites suicidaires. Sur un sujet aussi difficile, on ne s'étonnera pas que leurs avis divergent.

« Chantage »... ou appel ?

L'intoxication médicamenteuse volontaire est la méthode la plus fréquemment utilisée lors des tentatives de suicide en France. Les femmes et les jeunes filles, qui semblent vouloir conserver leur intégrité physique jusque dans la mort, y ont souvent recours. Quand les doses absorbées ne sont pas létales*, ce qui est fréquent, le suicidant* reprend vie au bout de quelques heures après un simple lavage d'estomac*. Si la personne n'a pas été transportée à l'hôpital, son acte peut passer totalement inaperçu.

L'inconvénient majeur de ces tentatives de mort « douce » est qu'elles se heurtent à l'indifférence, voire au mépris. Certains médecins, parfois aidés en cela par la famille, alimentent la vision d'un suicidant manipulateur, plus désireux de faire pression sur son entourage que de mourir ; c'est ce qu'ils qualifient de « chantage » au suicide.

En réalité, s'il y a bien pression sur l'entourage, c'est généralement en vue d'obtenir davantage d'amour ou simplement d'attention, observent les suicidologues*. Et surtout, contrairement au maître chanteur qui implique l'autre en évitant de s'impliquer lui-même (par l'anonymat), le suicidant met sa vie en jeu en même temps qu'il adresse un appel de détresse à l'autre. Une quête affective qui emprunte une telle voie ne peut qu'être la marque d'une authentique souffrance.

Volonté de mourir ou recherche d'une délivrance ?

« *Voulait-il (elle) vraiment en finir ?* », c'est une question à laquelle, le plus souvent, on ne peut pas répondre. Lorsque la méthode employée est violente (pendaison, arme à feu, défenestration, etc.) et débouche sur la mort, comme c'est le cas pour la plupart des hommes suicidants,

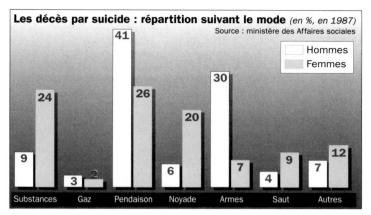

Les décès par suicide : répartition suivant le mode (en %, en 1987)

Source : ministère des Affaires sociales

Hommes
Femmes

	Substances	Gaz	Pendaison	Noyade	Armes	Saut	Autres
Hommes	9	3	41	6	30	4	7
Femmes	24	2	26	20	7	9	12

L'homme privilégie les moyens mécaniques et traumatiques, aux effets souvent irréversibles, tandis que la femme choisit des solutions plus douces, aux effets plus incertains.

quel que soit leur âge, elle laisse supposer un désir de mort intense. Or, il faut se méfier là encore de conclusions trop hâtives. Selon certains spécialistes, les hommes auraient recours à de telles méthodes pour éviter tout échec ou reculade qui les rendraient lâches et méprisables ; en quelque sorte, donc, pour « épargner » leur virilité.

Toute tentative de suicide, qu'elle soit grave ou minime sur le plan physique, traduit surtout un désir de rupture avec l'environnement ou avec une situation jugés intolérables, observent les suicidologues. Pour beaucoup d'hommes et de femmes, vouloir « en finir », c'est d'abord échapper à la souffrance. Cette femme qui absorbe un soir trop de cachets, cet homme qui prend d'énormes risques au volant de sa voiture, aspirent l'un et l'autre à être délivrés, non pas de l'existence, mais de ce qui la rend insupportable à leurs propres yeux.

De nombreux témoignages laissent même entrevoir chez certains suicidants un désir de vie très fort... pour après, comme s'ils devaient naître une deuxième fois.

La part d'un désir de mort dans un acte suicidaire est difficile à authentifier et plus encore à quantifier. Une chose est sûre : plus une interprétation est simpliste (« c'est du chantage »), moins elle a de chance d'être vraie.

Une « épidémie » mondiale

Le suicide est un phénomène qui s'observe sous toutes les latitudes. Mais selon l'Organisation Mondiale de la Santé (OMS), sa progression varie selon les pays.

1 200 suicides par 24 heures dans le monde

Le taux de suicide à travers le monde n'a cessé globalement d'augmenter depuis un siècle (période à peu près couverte par les statistiques), tout en connaissant des variations en rapport avec le contexte socio-économique. Ainsi, les décès par suicide ont chuté nettement au cours des deux guerres mondiales. Ils ont progressé à la faveur des crises économiques des années 1930 (krach boursier) et 1970 (premier choc pétrolier). Depuis les années 1990, et la récession économique mondiale, ce taux stagne, mais à un niveau élevé.

Actuellement, on estime que plus de 1 200 personnes se suicident par vingt-quatre heures dans le monde, et que plus de 8 500 autres font une tentative. En un an, ce sont donc près de 450 000 personnes qui se tuent et plus de trois millions d'autres qui tentent de le faire.

Des chiffres au conditionnel

Ces chiffres, établis par l'Organisation mondiale de la santé (OMS), sont à considérer avec précaution. De l'avis des statisticiens, en effet, les taux de suicide dans le monde sont sous-estimés. Le différentiel serait d'environ 20 à 25 % dans les pays tenant le mieux à jour leurs statistiques – généralement les pays occidentaux – et de 100 à 200 % dans d'autres régions du monde – en particulier dans les pays en voie de développement. En outre, les statistiques nationales ne sont pas toujours comparables dans la mesure où les modes de recueil des données et la définition même du suicide peuvent varier considérablement d'un pays à l'autre.

DÉFINITION　**STATISTIQUES**　CLINIQUE　SOINS

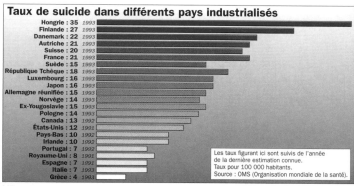

Taux de suicide dans différents pays industrialisés

Pays	Taux	Année
Hongrie	35	1993
Finlande	27	1993
Danemark	22	1993
Autriche	21	1993
Suisse	20	1993
France	21	1993
Suède	15	1993
République Tchèque	18	1993
Luxembourg	16	1993
Japon	16	1993
Allemagne réunifiée	15	1993
Norvège	14	1993
Ex-Yougoslavie	15	1993
Pologne	14	1993
Canada	13	1992
États-Unis	12	1991
Pays-Bas	10	1992
Irlande	10	1992
Portugal	7	1992
Royaume-Uni	8	1991
Espagne	7	1991
Italie	7	1993
Grèce	4	1993

Les taux figurant ici sont suivis de l'année de la dernière estimation connue. Taux pour 100 000 habitants. Source : OMS (Organisation mondiale de la santé).

L'Europe centrale, Hongrie en tête, est la région la plus touchée, devant l'Europe du Nord, le Japon, les États-Unis, et enfin les pays du pourtour méditerranéen. Remarque : la mort volontaire est plus fréquente en France qu'en Suède, celle-ci étant considérée à tort comme « le pays du suicide ».

Résistances culturelles

La sous-évaluation des taux de suicide provient essentiellement de la faiblesse des méthodes mises en place par les autorités sanitaires des différents pays pour identifier et recenser les morts volontaires. Mais elle est aussi, bien souvent, liée à des attitudes culturelles : telle famille considérant le suicide comme déshonorant pour elle-même ou le défunt dissimulera la cause réelle du décès. Ce dernier sera alors improprement enregistré avec les « morts accidentelles » ou les « morts pour causes indéterminées ».

Des tendances lourdes

En dépit de ces aléas, l'OMS considère ses statistiques comme relativement fiables. L'organisation fait valoir qu'elles indiquent des tendances lourdes, et qu'elles donnent malgré tout une échelle internationale (*voir* tableau). Par ailleurs, les chiffres montrent que, dans le monde entier, les hommes se suicident plus que les femmes, les habitants des campagnes plus que ceux des villes, et les personnes âgées plus que les jeunes, ces derniers allant surtout grossir le taux des tentatives de suicide.

Le nombre de suicides progresse à travers le monde dans des proportions inégales. Actuellement, l'OMS estime que 450 000 personnes se tuent au total chaque année et que plus de 3 millions d'autres tentent de le faire.

La France, un pays très touché

Avec plus de 12 000 décès par an, la France est l'un des pays d'Europe où la mortalité par suicide est la plus importante. Principales victimes : les personnes âgées, les jeunes adultes et les exclus de la société.

Une courbe ascensionnelle

Le suicide est une cause de décès relativement peu fréquente (2 % des morts en France actuellement) mais qui a tout de même été multipliée par deux en un demi-siècle. Le nombre de morts par suicide est ainsi passé de 6 400 en 1950 à 12 200 en 1993. Une légère décrue au milieu des années 1980 a laissé croire à un renversement de tendance. Mais la situation s'est à nouveau dégradée au début des années 1990 et les perspectives pour l'an 2000 sont mauvaises.

Un phénomène sous-évalué

En France, tout décès doit être constaté par un médecin et déclaré à la mairie dans les 24 heures. Le médecin établit un certificat de décès, mentionnant la cause de la mort, puis il le remet à l'officier d'état civil afin que celui-ci délivre le permis d'inhumer. Pour finir, ce certificat est transmis à l'Institut national de la santé et de la recherche médicale (Inserm), chargé d'établir des statistiques sur les différentes causes de mortalité. Il peut arriver, pourtant, que le certificat n'arrive pas jusqu'à cet institut : c'est lorsqu'un « obstacle médico-légal à l'inhumation » est signalé ; autrement dit, lorsqu'un doute plane sur les causes de la mort. Dans un tel cas, une enquête judiciaire est menée et il se peut que le parquet* oublie, une fois l'affaire classée, de remettre le certificat de décès dans le circuit. Autre cause répandue de non-déclaration de suicide : la pression qu'exercent les proches de certains suicidés* sur leur médecin en vue de dissimuler la vérité. Dans un cas comme dans l'autre, ces décès sont classés avec d'autres morts mystérieuses dans la rubrique « cause inconnue », qui en compte tout de même plus de dix mille

DÉFINITION STATISTIQUES CLINIQUE SOINS

**Nombre de suicides en 1990.
Le suicide croît avec l'âge et diffère
suivant le sexe.**

Tranches d'âges	Ensemble	Hommes	Femmes
Moins de 15 ans	19	14	5
De 15 à 24 ans	791	607	184
De 25 à 34 ans	1 706	1 314	392
De 35 à 44 ans	2 118	1 613	505
De 45 à 54 ans	1 679	1 203	476
De 55 à 64 ans	1 651	1 091	560
De 65 à 74 ans	1 337	895	442
Plus de 75 ans	2 102	1 441	661
TOTAUX	11 403	8 178	3 225

En France, comme partout dans le monde, le suicide croît avec l'âge et touche prioritairement les hommes. Mais notre pays détient le record européen de mortalité par suicide chez les personnes âgées de plus de 75 ans.

Sources : Conseil économique et social et l'Institut national de la santé et de la recherche médicale (Inserm), organisme rattaché au ministère de l'Enseignement supérieur et de la Recherche, ainsi qu'au ministère de la Santé.

chaque année en France. De nombreux morts par suicide s'y trouvent sûrement comptabilisés.

Des groupes plus exposés

En 1990, pour les plus de 75 ans, la mortalité par suicide était près de trois fois supérieure à celle des 15-24 ans (*voir* graphique). Il n'en reste pas moins que le suicide est la première cause de mortalité chez le jeune adulte (25-34 ans) et la deuxième cause de mortalité chez l'adolescent (15-24 ans) après les accidents ; certains de ces accidents pouvant par ailleurs être mis sur le compte de conduites à risque* (*voir* pp. 4-5). Sur les 120 000 à 150 000 tentatives de suicide qui ont lieu chaque année, 40 000 sont le fait d'adolescents et 1 000 d'entre eux trouveront ainsi la mort. Autre tranche d'âge très touchée : celle des 35-44 ans, en particulier chez les hommes.

Parmi les autres victimes du suicide, on note un nombre important de chômeurs, d'individus isolés et de personnes en situation de grande précarité. La population carcérale est aussi particulièrement touchée, avec un taux moyen actuel de suicide de 141 pour 100 000 détenus, contre un taux moyen de 21 pour 100 000 dans la population générale.

Le suicide en France suit une courbe ascensionnelle depuis les années 1950 et la situation devrait encore se dégrader d'ici à l'an 2000. La proportion de jeunes candidats ne laisse pas d'inquiéter.

Les morts par suicide

**La fréquence des morts par suicide est fonction de multiples paramètres, comme la saison, la profession, etc.
Mais attention : il s'agit là d'influences relatives et non pas de causes directes.**

Les saisons

Le taux de suicide est faible en hiver, s'accroît considérablement au printemps, chute en été et remonte légèrement en automne (*voir* graphique). Ce sont moins les saisons en elles-mêmes que les rythmes sociaux qui s'y rattachent qui sont en cause. Ainsi, il y a peu de suicides dans les périodes de resserrement des liens familiaux (hiver, vacances d'été), mais beaucoup plus lorsque les effets de la solitude se font sentir (au printemps, période propice à la fête et aux plaisirs). De même, la courbe hebdomadaire du suicide est maximale le lundi, mais connaît un creux le dimanche ; le mercredi (« jour des enfants »), le taux de suicide est très bas chez les femmes.

La météo

L'influence des facteurs météorologiques n'a pas été démontrée (seules des études très locales s'y sont intéressées). Mais on admet aujourd'hui que des variations brusques de la pression atmosphérique peuvent précipiter un passage à l'acte.

La géographie

En un siècle, l'évolution géographique du suicide montre que celui-ci persiste dans le nord de la France (région la plus touchée), recule dans les départements urbains et riches (Bassin parisien, façade méditerranéenne), progresse en Bretagne et dans les départements du Centre ; de sorte qu'il apparaît aujourd'hui comme un phénomène rural

---

Un « gène du suicide » ?

Cette vieille hypothèse, totalement rejetée par la communauté scientifique, continue pourtant d'avoir des partisans. En février 1996, ce sont des chercheurs de l'université de Bristol (Grande-Bretagne) qui l'ont relancée, en annonçant avoir isolé un « gène du suicide ». Ils sont arrivés à cette conclusion après avoir analysé le sang de dizaines de suicidants*. Selon eux, ces personnes souffraient du déficit d'une substance chimique présente dans le cerveau humain, le 5-HT. Or, l'enzyme qui contrôle le 5-HT est issue du gène en question, assurent ces médecins, qui n'ont toutefois pas réussi à quantifier son influence sur le risque de suicide. Les explications psychosociologiques sont en effet plus sérieuses.

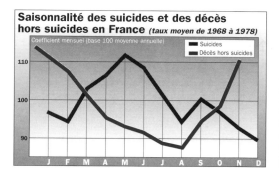

Saisonnalité des suicides et des décès hors suicides en France *(taux moyen de 1968 à 1978)*

Coefficient mensuel (base 100 moyenne annuelle)

■ Suicides
■ Décès hors suicides

J F M A M J J A S O N D

Le taux de suicide est faible en hiver, il s'accroît énormément au printemps, pour baisser ensuite. Sa courbe est inverse de celle de la mortalité générale.

Source : Institut national de la statistique et des études économiques (Insee).

plutôt qu'urbain. L'exode rural, qui entraîne un vieillissement de la population des campagnes et contraint beaucoup d'hommes au célibat, pourrait expliquer la sur-représentation du milieu rural dans la mortalité par suicide, cette dernière augmentant avec l'âge et l'isolement.

La profession

Les cadres se suicident moins que les employés, et ceux-ci encore moins que les professions agricoles. Certaines professions semblent plus touchées que d'autres : il en va ainsi des médecins et des infirmières. Début 1996, on a connu une série noire parmi les policiers (dix suicides entre janvier et mars), ce qui a beaucoup frappé l'opinion. Mais, avec environ 35 cas pour 100 000 habitants, le taux de suicide moyen des policiers, depuis ces dernières années, reste inférieur à celui de la population des 25-55 ans, chez qui cette incidence* varie de 52 à 55 cas pour 100 000 personnes.

Le chômage

S'il est démontré que les crises économiques tendent à augmenter la fréquence du suicide, il n'est pas possible, en revanche, d'établir de corrélation simple entre taux de chômage et taux de suicide. Tel est, en tout cas, sur ce sujet controversé, le point de vue de l'Institut national des études démographiques (Inéd).

Le taux de suicide, acte individuel, est aussi un phénomène social : des éléments de nature aussi diverse que le climat socio-affectif lié aux saisons, ou la profession, ont une influence non négligeable sur sa fréquence.

Tentative de suicide : les facteurs de risque

Parce qu'on retrouve dans le parcours des suicidants un certain nombre de points communs, les épidémiologistes* ont établi l'existence de « facteurs de risque » prédisposant à l'acte suicidaire.

Facteurs médicaux

Entre 60 à 80 % des suicidants* ne souffrent d'aucune pathologie* mentale, mais leur état de santé général est souvent mauvais, tant sur le plan physique que psychologique. Ainsi, les adolescents suicidaires* étudiés par Marie Choquet, chercheur à l'Institut national de la santé et de la recherche médicale (Inserm), présentent fréquemment des troubles du comportement alimentaire comme l'anorexie* ; ils se disent plus fatigués que des lycéens n'ayant pas d'idées noires (49 % contre 12 %) et ont beaucoup plus de problèmes de sommeil (27 % contre 4 %).

Chez les adultes suicidaires, on relève souvent une grosse consommation de médicaments psychotropes* (comme les anxiolytiques et les antidépresseurs...), indicateurs d'un mal-être. Les médecins en recommandent en particulier l'usage aux patients qu'ils jugent dépressifs. Or, 90 % des suicides par intoxication médicamenteuse sont réalisés à l'aide de psychotropes, ce qui place le prescripteur devant une lourde responsabilité.

Facteurs familiaux

Toutes les situations de rupture familiale créent un risque d'acte suicidaire : deuil, séparation, divorce... Les personnes âgées, et notamment les hommes après 75 ans, tolèrent mal la perte de leur conjoint. D'une manière générale, plus le décès d'un proche est récent, plus le risque augmente.

Les abus sexuels* sont la cause de beaucoup de tentatives de suicide. Or le lien n'est pas toujours mis en évidence. En effet, de telles victimes « enterrent » souvent leur secret (soit il est tu, soit il est refoulé et comme oublié). En outre,

DÉFINITION STATISTIQUES CLINIQUE SOINS

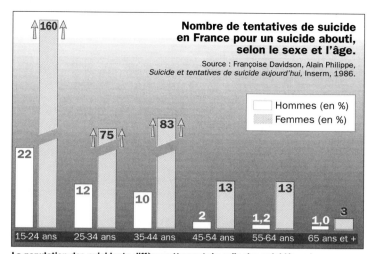

Nombre de tentatives de suicide en France pour un suicide abouti, selon le sexe et l'âge.

Source : Françoise Davidson, Alain Philippe, *Suicide et tentatives de suicide aujourd'hui*, Inserm, 1986.

Hommes (en %)
Femmes (en %)

	15-24 ans	25-34 ans	35-44 ans	45-54 ans	55-64 ans	65 ans et +
Hommes	22	12	10	2	1,2	1,0
Femmes	160	75	83	13	13	3

La population des suicidants diffère nettement de celle des suicidés : alors que les morts par suicide frappent en priorité les hommes et les personnes âgées, les tentatives de suicide sont plus fréquentes chez les jeunes et les femmes.

l'acte suicidaire peut intervenir des années après l'événement traumatique. Enfin, on trouve fréquemment chez les suicidants la trace d'antécédents familiaux tels que l'alcoolisme, la maladie mentale et le suicide. Parmi les familles de jeunes suicidants, on trouve, en France, trois fois plus de tentatives de suicide que dans les familles de non-suicidants.

Facteurs sociaux

L'isolement, qu'il soit relationnel ou social, joue incontestablement un rôle défavorable, même s'il revêt des caractéristiques différentes selon l'âge. Ainsi, les adolescents qui font des tentatives de suicide souffrent d'une grande solitude affective et morale. Leurs relations familiales sont perturbées, soit par un manque d'intérêt des parents, soit par un excès d'autoritarisme ou de protection de leur part. Chez les adultes entre 25 et 35 ans, ce sont davantage les problèmes d'insertion sociale et les difficultés professionnelles qui seront déterminants. Pour les plus de 65 ans, enfin, l'augmentation de l'espérance de vie ne conduit pas toujours à un état de mieux-être. Très souvent, la vieillesse s'accompagne d'une marginalisation sociale et familiale prédisposant à une certaine désespérance.

Aucun facteur de risque ne peut, à lui seul, expliquer une tentative de suicide. Mais chez les personnes qui cumulent au moins trois facteurs, le risque suicidaire est sept fois plus élevé que chez celles qui n'en présentent aucun.

L'adieu à la vie

Des mots fragiles, maladroits, tentent quelquefois d'exprimer le « pourquoi » de l'acte suicidaire. Extraits.

Lettre d'adieu d'une adolescente de 16 ans à ses parents

« Je ne pourrais pas continuer à vivre ainsi. La vie devient de plus en plus impossible pour moi. Je me rends compte que je la rends insupportable à vous, qui ne le méritiez pas. J'ai donc décidé d'avaler un tube entier de mes comprimés ce soir. Je ne sais pas l'effet que ça me fera, je me porterai peut-être très bien, comme je pourrai aussi être morte... J'ai donc fait le bilan de ma vie, c'est une vie inutile qui ne vous donne que

des soucis. Exemple : ma fugue... J'ai aussi fait le bilan de mon avenir. Je ne le vois pas très gai, seule, sans copains, avec tous mes soucis... Et pourtant, en avalant ces comprimés, je n'ai pas l'intention de me tuer, c'est pourquoi je n'en prends qu'un tube, sinon je les avalerais tous. Je veux seulement pouvoir rester dans le coma car je doute sur ce qu'il y a après la mort. Je serai ainsi ni morte, ni vivante, enfin sans soucis ; je ne penserai à rien... Je ne sais pas quel effet les comprimés feront, je me réveillerai peut-être en pleine forme. »

Citée par Jacques Védrinne in « Les tentatives de suicide de l'adolescent », *Revue de neuropsychiatrie infantile*, 1974.

Témoignage de Laetitia, 18 ans, auteur de trois TS*

Au lendemain de sa troisième tentative de suicide, alors même qu'elle est encore hospitalisée, Laetitia se mutile le visage et les bras. À l'infirmière qui lui demande des explications, elle raconte : *« Je voulais me brosser les dents. Le verre*

DÉFINITION | STATISTIQUES | CLINIQUE | SOINS

*m'a échappé des mains. Il est tombé dans le lavabo. Je m'en
suis voulu de ma maladresse. Et j'en ai voulu au verre.
J'ai pris le verre, je l'ai jeté par terre. Ca a fait des débris partout. Alors je m'en suis voulu à moi et je me suis tailladé
les bras et la tête... ça me rappelait aussi que lorsque je cassais
des objets à la maison, maman nous giflait. Quand elle nous
giflait, c'était pas fort, c'était juste au niveau du geste. C'est un
automatisme, quand je casse quelque chose, j'ai envie de me
protéger. »* – « *Tu appelles ça te protéger ?* », dit l'infirmière.
– « *Après, je m'en voulais d'avoir fait une bêtise, alors je me
faisais du mal.* »

Extrait du reportage « Le suicide des jeunes », *Transit*,
Arte, 1995.

⌐La maman de Franck, mort par suicide à 17 ans, se souvient...

« *La veille, il m'avait téléphoné [...], en disant : tu sais, je ne
sais pas si je vais continuer comme ça [...]. Ce n'est qu'après
(son suicide), quand j'y ai repensé, que je me suis rendu
compte que c'était un appel au secours peut-être [...]. Je me
suis dit : tu es une imbécile [...], il t'appelait au secours [...],
je me suis dit que je n'avais rien déchiffré [...]. Après, moi, je
suis tentée de dire qu'on ne vit pas, on survit [...].* »

Témoignage cité par le Dr Xavier Pommereau in *Ruptures*,
guide pédagogique, Direction générale de la santé, mars
1993.

⌐Le Dr Jacques Védrinne, un thérapeute face aux suicidants*

« *Beaucoup décrivent leur geste comme une impulsion subite
sur un fond d'idées dépressives... Certains ne reconnaissent
plus du tout en eux le désir de mourir, restant dépassés par un
acte qui leur paraît parfaitement incompréhensible, voire
contraire à leur système de valeur... Il y a encore ceux qui
transforment leur geste en accident, erreur de prise de médicaments, désir de dormir, suspension du cours du temps, pour
ensuite repartir à zéro.* »

Cité par Michel Debout in *Le suicide*, rapport du Conseil
économique et social, 1993.

Certains suicidés*
ont exprimé
leur désir
d'en finir
avec la vie
par des écrits
ou des paroles
explicites.
Mais,
dans certains cas,
l'entourage
devra rechercher,
dans des propos
en apparence
anodins,
les indices
précurseurs
de l'acte
suicidaire.

La pulsion de mort

La psychanalyse s'efforce de mettre en évidence les ressorts inconscients de l'acte suicidaire.
Comme dans la théorie de « l'instinct de mort » chez Freud.

Origine des pulsions suicidaires

En postulant l'existence chez l'homme d'un « instinct de mort » aussi puissant que peut l'être l'instinct de vie, le célèbre neurologue et psychiatre autrichien Sigmund Freud* a bâti la première théorie psychanalytique du suicide. Dans *Au-delà du principe de plaisir* (1920), il explique que l'homme vient au monde « déjà divisé contre lui-même » par la dualité de ses instincts. Cette cohabitation forcée serait la cause enfouie de nos tourments, de nos déchirures, de nos contradictions.

Freud

Pour Jacques Lacan*, l'acte suicidaire offre la possibilité au sujet de sortir de l'aliénation aux signifiants* de l'Autre*.
En d'autres termes, il vise à libérer le sujet du discours dans lequel il est inscrit, et qu'il ne supporte plus. L'enjeu d'un tel acte est donc, pour celui qui l'accomplit, de pouvoir se reconstruire symboliquement.

Tous les spécialistes du psychisme ne reconnaissent pas l'existence de l'instinct de mort. Certains pensent que la pulsion suicidaire est une déviation de l'instinct de vie, qui se produirait, avec le temps, sous l'effet des frustrations imposées par la réalité.

DÉFINITION STATISTIQUES CLINIQUE SOINS

L'inconscient, le désir et la mort

Pour la psychanalyse, la mort n'existe pas comme objet de l'inconscient, car elle n'a pu mettre en évidence de représentation inconsciente de la mort dans le psychisme humain. Ainsi, le désir de mort ne viserait pas un « objet » (la mort) mais plutôt un « état » permettant à des tensions psychiques, vécues comme douloureuses, de trouver un apaisement. Ce désir met lui-même en jeu trois problématiques différentes :

– le désir de mourir. Ce que le suicidant* recherche, c'est un état de bien-être, de détente profonde, de satisfaction, comme dans le sommeil ou dans l'apaisement qui suit la décharge sexuelle. Il s'agirait, pour reprendre certains développements de Freud, d'un désir de retour à « l'inorganique » (absence de tensions). Il se double parfois d'un désir de re-naissance, comme si le sujet croyait en sa survie ou en son immortalité ;

– le désir de tuer. En psychanalyse, suicide et homicide sont liés. Mais lorsque Freud affirme que « l'on ne se tue pas sans s'être proposé de tuer l'autre », il n'envisage pas les suicidants comme autant de meurtriers en puissance ! Il veut plutôt montrer quels sont les problèmes que pose à l'homme l'existence de pulsions violentes, ambivalentes, dans son psychisme. Cette agressivité, primitivement dirigée contre les parents, peut se retourner contre le sujet et l'amener à s'autodétruire. Ce désir de tuer sa propre image correspondrait au stade « sadique oral » de l'enfant, stade où l'objet (d'amour) ne peut être aimé sans être détruit ;

– le désir d'être tué. Dans les automutilations qui accompagnent ou précèdent certains suicides, on peut voir la trace d'une culpabilité inconsciente. Le suicide est en ce cas un châtiment que l'on s'inflige ou qu'on estime devoir subir. Ce désir d'être tué naîtrait d'un « moi* » affaibli par l'instance que Freud appelle « surmoi* » et qui exerce une action répressive sur le « moi ».

> « Aucun suicide n'est consommé si en plus du désir de tuer et d'être tué, le suicidaire ne désire également mourir. »
> **Karl Menninger, Man against himself, 1938.**

> Le désir de mort ne vise pas un « objet » (la mort) mais plutôt un « état » permettant à des tensions psychiques, vécues comme douloureuses, de trouver un apaisement. Ou, comme dit Lacan, de rompre avec le discours de l'Autre.

Le normal et le pathologique

Les pathologies* mentales entrent-elles, et pour quelle part, dans la conduite suicidaire ?

Suicide et maladie mentale

La proportion de gestes suicidaires commis par des personnes présentant une pathologie* mentale est de l'ordre de 20 à 40 %, selon que l'on étend ou non ce concept à la dépression. Il s'agit de toute façon d'une minorité de gens. Pour tous les autres, de 60 à 80 %, le geste suicidaire n'est symptomatique d'aucune psychopathologie*.

Les psychoses*, la psychopathie* et certains troubles de la personnalité induisent des comportements d'autoagression qui passent par des mutilations et des tentatives de suicide. D'ailleurs, l'entrée dans la maladie se fait, parfois, par une TS* (*voir* pp. 4-5).

À leur début, de telles pathologies ne sont pas toujours bien repérées, ni par les médecins, ni par l'entourage du sujet. C'est pourquoi les psychiatres vont s'attacher, lors d'une première tentative de suicide, à en déceler d'éventuels prémices. C'est ainsi que des cas de schizophrénie* ont été diagnostiqués chez des adolescents.

La prise en charge de tels suicidants* passe en général par l'hospitalisation en milieu psychiatrique et par des traitements à base de médicaments neuroleptiques (famille des psychotropes*). Certains malades verront leur état se stabiliser. Mais le risque suicidaire persiste chez nombre d'entre eux.

Le désinvestissement de la réalité au profit d'un monde imaginaire, qui est le trait marquant de la maladie mentale, peut d'ailleurs apparaître, en soi, comme une conduite de mort. Elle réalise ce que certains appellent un « suicide partiel ».

Le « passage à l'acte » : un état limite de la folie ?

Tout homme « normal » peut connaître des idées ou des envies de mort dans son existence. Mais quelques-uns seulement « passent à l'acte ». Les justifications *a posteriori* de

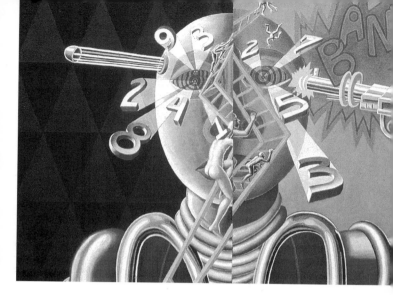

l'acte ne manquent pas. Les suicidants évoquent presque tous un événement déclenchant : rupture sentimentale, perte d'un emploi... Ils s'accrochent à ces explications rationnelles, comme pour mieux évacuer le caractère incompréhensible de l'acte en soi.

La plupart des suicidants répugnent en effet à parler de l'instant crucial où ils ont voulu se donner la mort. Le sentiment d'avoir complètement perdu la maîtrise d'eux-mêmes les inquiète. En analysant leurs récits, on s'aperçoit qu'ils ont cédé à une angoisse incontrôlable et se sont sentis dans la quasi-obligation de se tuer.

La psychiatrie assimile cet état particulier au délire du psychotique*, qui se traduit par une perte du sentiment de la réalité.

L'homme « normal » ferait ainsi, à ses yeux, une brève expérience de la folie.

À l'inverse, Freud estime que le suicide est « un substitut de la psychose » : le passage à l'acte ne survient que si l'aliénation, ultime rempart contre la réalité, fait défaut. Cette observation vaut également pour le psychotique, dont les tendances suicidaires augmentent quand son délire (protecteur) diminue.

Fuite de la réalité, (1977).
Tableau de **Vargas Zalathiel**, artiste mexicain.

Pour la psychanalyse, le passage à l'acte suicidaire représente un « état » aux confins du normal et du pathologique. Tandis que les psychiatres y voient un « saut » hors de la « normalité ».

Dépression et acte suicidaire

Les états dépressifs, qui s'accompagnent d'une dépréciation de soi et d'idées noires, sont à l'origine de nombreuses tentatives de suicide.

Une maladie grave

Contrairement aux accès de déprime, la dépression est une maladie grave qui affecte l'individu jusqu'à lui ôter toute joie de vivre. On la reconnaît à un ensemble de symptômes : fatigue, ralentissement de l'activité, tristesse, pessimisme, idées noires, absence de projet. Il existe en réalité plusieurs formes de dépressions.

La dépression mélancolique

Le sujet souffrant de mélancolie* est déchiré par des pulsions contradictoires d'amour et de haine. Pour conserver son équilibre mental, il doit opérer un difficile compromis entre ces pulsions. Parfois, l'équilibre se rompt et donne lieu à un état de crise appelé « accès mélancolique ». Le sujet est alors envahi par une douleur morale aiguë, où se mêlent des sentiments de culpabilité, d'autoaccusation, de ruine et d'indignité.

La tentative de suicide*, quand elle a lieu, ne calme pas la douleur. Elle l'attise plutôt en raison du sentiment d'avoir échoué, raté. Le risque de voir le déprimé récidiver quelque temps plus tard est élevé. De plus, il peut présenter une menace pour son entourage. En voulant les mettre à l'abri du « déshonneur » qu'ils font peser sur eux, certains suicidaires mélancoliques agressent leurs proches (certains vont même jusqu'à les tuer, *voir* encadré) avant de se suicider.

À cause de ces risques et de la difficulté de prévoir les crises, les psychiatres préconisent une période d'observation et de soins en milieu psychiatrique, puis un suivi régulier.

La dépression névrotique

Le déprimé névrotique est blessé dans son narcissisme* ; il a une piètre estime de lui-même, de sorte qu'il est, plus que quiconque, dépendant de ses relations affectives et plus exposé à la frustration.

La tentative de suicide prend chez lui une valeur d'appel, c'est un signal de détresse envoyé à la personne qu'il chérit, mais dont il ne se sent pas, ou plus, aimé. Elle se produit en cas d'effondrement des défenses inconscientes du sujet, défenses qui lui permettaient jusque-là de supporter sa misère morale.

Le risque de récidive* dépendra de l'écoute et de la prise en compte de ses besoins affectifs. L'entourage n'est pas toujours le mieux à même de remplir ce rôle, parce qu'il est à la fois juge et partie dans l'histoire du sujet. Le recours à une psychanalyse* ou à une psychothérapie* est en revanche très indiqué.

La dépression réactionnelle

Un événement douloureux tel qu'un deuil, une rupture sentimentale, etc. peut déclencher la survenue d'un état dépressif qualifié de réactionnel. Le sujet désire que sa souffrance soit entendue. Il attend inconsciemment une réparation à son mal. C'est cette attente, pressante, exigente, qui est parfois mal vécue par l'entourage et qualifiée de « chantage ».

Le risque de récidive est le même que dans la dépression névrotique, c'est-à-dire fonction de la qualité d'écoute que va rencontrer le sujet. Là encore, psychothérapie et psychanalyse sont les modes de traitement les mieux adaptés.

Drames à huis clos
Les journaux se font parfois l'écho de tragédies familiales dans lesquelles une mère ou un père de famille habituellement irréprochable tue soudain enfants et conjoint avant de se donner la mort. Ces drames « inexpliqués » ne le sont pas pour les psychiatres, qui y voient en général la marque d'une mélancolie non diagnostiquée ou mal soignée.

Parce qu'ils ôtent toute joie de vivre à l'individu, les états dépressifs favorisent le passage à l'acte suicidaire. Dans certains accès mélancoliques, le déprimé peut aussi présenter une menace pour l'entourage.

L'accueil d'urgence du suicidant

Toute personne qui entre à l'hôpital à la suite d'une tentative de suicide* est orientée, selon son état et la nature de ses blessures, vers un service d'urgences médicales ou chirurgicales. Elle doit y être accueillie et soignée sans discrimination.

Les premiers soins

Quand le risque létal* est faible, ce qui est fréquent, les soins se résument à peu de choses. Une intoxication médicamenteuse sera traitée par un lavage gastrique* ; une phlébotomie* du poignet par quelques points, de suture. Passée cette première prise en charge, certains suicidants* n'ont qu'une hâte : quitter l'hôpital. Parfois, c'est la crainte d'avoir à rencontrer le psychiatre ou le psychologue, dont on leur a annoncé la venue, qui les incite à partir, moyennant la signature d'une décharge (formulaire par lequel le suicidant libère l'hôpital de toute obligation de soins envers lui). Or de tels départs compromettent les chances d'une bonne récupération psychologique.

L'entretien psychologique

Tout suicidant doit pouvoir bénéficier d'un entretien avec un psychiatre dans les 48 heures qui suivent son admission à l'hôpital. Cet entretien « à chaud », près de l'acte, a valeur de « réveil psychologique ». Il va permettre au sujet de reprendre le cours de son histoire. L'essentiel est que le « dire » (la parole du sujet) se substitue au « faire » (la conduite suicidaire). La qualité d'écoute du psychologue sera, à cet égard, déterminante.

Le problème est que, dans la pratique, cette rencontre est souvent vouée à l'échec. Deux raisons à cela : dans les services d'urgence, l'intimité nécessaire au bon déroulement de l'entretien fait généralement défaut ; ensuite, le laps de temps dans lequel intervient le psychiatre pose lui aussi problème. Certains psychiatres estiment que l'entretien

« Celui qui se donne la mort voudrait vivre. »
Schopenhauer (1788-1860),
Le Monde comme Volonté et comme Représentation **(1818).**

DÉFINITION STATISTIQUES CLINIQUE SOINS

doit avoir lieu au plus tôt après le réveil du suicidant. Ils pensent ainsi avoir de meilleures chances de recueillir une parole authentique, avant que les défenses psychologiques du patient – et la pression de l'entourage – ne viennent faire barrage. Autres raisons d'agir vite : la possibilité de découvrir une pathologie* psychiatrique et/ou un projet de récidive*. Mais ce parti-pris de l'immédiateté a un revers : il précipite la fin de l'hospitalisation, alors que, de l'avis des suicidologues*, le temps de récupération psychologique après une tentative de suicide est d'une dizaine de jours au minimum (voir pp. 4-5).

Dès son arrivée à l'hôpital, une personne qui a tenté de se suicider bénéficie des premiers soins d'urgence. On lui proposera ensuite un suivi psychologique.

L'orientation du suicidant

Lorsqu'aucune pathologie mentale n'a été décelée et que le suicidant manifeste l'envie de reprendre une vie normale, le psychiatre de l'hôpital lui propose simplement d'aller consulter l'un de ses confrères dans les semaines suivant sa sortie. L'intérêt de ce rendez-vous est d'offrir un point de départ à une éventuelle psychothérapie*. Mais rares sont les suicidants qui n'« oublient » pas cet entretien, une fois la porte de l'hôpital franchie.

D'autres patients, se sentant fragiles, vont au contraire solliciter une aide. Du fait de la quasi-absence de structures de soins spécifiques (voir pp. 28-29), une période d'observation en milieu psychiatrique leur sera proposée, même si la famille se déclare défavorable.

Dans le cas d'un patient qui refuse toute aide, alors même qu'entourage et médecin ont conscience d'un risque et d'un danger, le psychiatre peut imposer une période de « soins sans consentement », en vertu du « devoir d'assistance à personne en danger » (loi du 27 janvier 1990). Mais il sait qu'il s'expose, par là même, à d'éventuelles poursuites (de la part du suicidant ou de la famille) pour « hospitalisation forcée ».

La réanimation, l'entretien psychologique, l'orientation sont les trois étapes dans le parcours d'un suicidant qui reprend vie à l'hôpital.

Prise en charge (1): la réponse institutionnelle

Entre les besoins réels d'une majorité de suicidants – besoins qui s'expriment en temps d'écoute et de parole – et la réponse hospitalière, le décalage est manifeste.

La « psychiatrisation » du suicide

En France, l'hôpital général traite le suicide essentiellement sous l'angle de l'urgence médicale. Il ne dispose pas de service spécialisé dans l'accueil des personnes suicidaires* ou suicidantes*.

Pour des prises en charge de quelques jours à quelques semaines, le suicidant* n'a pas d'autre choix que l'hôpital psychiatrique. Étant donné que la crise suicidaire survient, en majorité, chez des personnes équilibrées psychiquement, cette absence d'alternative revient à laisser de côté toute une population en situation de détresse.

D'autre part, la tendance à orienter les suicidants vers le secteur psychiatrique témoigne des difficultés de l'institution sanitaire publique française à envisager le suicide autrement que sous l'angle de la pathologie* mentale.

Des expériences embryonnaires

Ce qui freine la mise en place d'alternatives dans la prise en charge des suicidants, c'est aussi la difficulté à élaborer un protocole* médico-psychologique spécifique, et à lui donner un lieu, un cadre. La plupart des expériences pilotes nées en milieu hospitalier se présentent comme des unités psychosociales susceptibles d'accueillir toutes les situations de détresse. Ainsi, à l'hôpital Bellevue de Saint-Étienne (Loire), un « pavillon d'urgence » reçoit pour quelques jours des personnes momentanément fragilisées ainsi que leur famille. Pour les suicidants qui sortent de réanimation, ce lieu offre un « sas » de décompression avant le retour à la maison. Il permet aussi à une équipe de psychiatres et de psychologues d'organiser un suivi médical pour le patient,

« Le suicidé fut longtemps considéré comme un criminel, puis comme un aliéné. Il ne faudrait pas, qu'aujourd'hui, il soit simplement un oublié. »
Michel Debout, professeur de médecine légale, membre du Conseil économique et social.

et, quand c'est nécessaire, pour l'entourage. Dans d'autres établissements, c'est la mise à disposition de lits de réveil, un peu à l'écart, au calme, qui facilitera la mise en place d'un suivi psychologique. C'est le cas notamment à l'hôpital Rangueil de Toulouse (Haute-Garonne).

Enfin, la prévention du suicide est l'un des objectifs des services de médecine adolescente, comme celui de l'hôpital Bicêtre dans le Val-de-Marne : l'intervention se situe alors au niveau d'une consultation médico-psychologique.

Le « rapport Debout » : un pavé dans la mare

La prise en charge du suicide et de sa prévention par les pouvoirs publics a fait l'objet d'un réquisitoire sévère du Conseil économique et social en 1993, sous la forme d'un rapport sobrement intitulé « Le suicide ». Cette institution a effectué là un remarquable état des lieux.

Sous la plume de Michel Debout, son rapporteur, le texte insiste sur la nécessité de déclarer le suicide « *grande cause de santé publique* » et de « *lutter contre ses effets dévastateurs* ».

Selon le rapport, il est urgent de mettre en œuvre une nouvelle politique hospitalière passant par une prise en charge globale – c'est-à-dire somatique*, psychologique et sociale – des suicidants. Tel serait le prix pour sortir le suicide du ghetto de la psychiatrisation... ou de l'indifférence.

Manque de moyens, de volonté politique... : l'institution sanitaire publique apparaît très démunie face à un phénomène qui mériterait qu'on lui applique le traitement réservé aux grandes causes de santé publique.

Prise en charge (2) : des solutions extrahospitalières

Certaines associations et relais médicaux complètent ou pallient l'action des hôpitaux par des initiatives de soins et de prévention.

Le Centre Abadie : un établissement modèle

Créée à Bordeaux (Gironde) par le Dr Xavier Pommereau en 1992, l'unité médico-psychologique de l'adolescent et du jeune adulte, ou Centre Abadie, est à ce jour l'unique structure capable d'offrir une prise en charge globale des jeunes suicidants*. Ni service de médecine ni service de psychiatrie, elle s'inscrit dans un cadre extrahospitalier, tout en restant publique et conventionnée*.

D'une capacité limitée à quinze lits, elle accueille des jeunes entre 14 et 35 ans, soit à leur sortie d'un service de réanimation, soit sur leur demande, après une consultation auprès d'un médecin rattaché ou non au Centre Abadie. Les séjours y sont brefs (entre cinq et dix jours) et soumis à l'acceptation par le suicidant d'un règlement intérieur (participation aux tâches ménagères, sorties limitées...). Une équipe de médecins, assistantes sociales, infirmières, très impliquée dans la lutte contre le suicide, aide les « pensionnaires » à trouver un sens à leur passage à l'acte. Entretiens individuels, de groupe, ateliers d'expression ponctuent les journées. Objectif recherché : prévenir les récidives, si fréquentes chez les jeunes

Le Centre Abadie à Bordeaux, une structure spécialisée dans la prise en charge des jeunes suicidants.

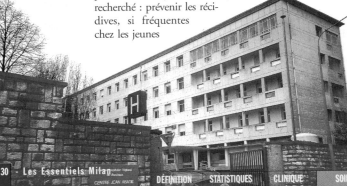

DÉFINITION STATISTIQUES CLINIQUE SOINS

(dans la population française en général, 37 % des suicidants entre 15 et 24 ans ont effectué antérieurement au moins une tentative de suicide*). Objectif partiellement atteint : parmi les jeunes qui ont séjourné dans ce centre, le taux de récidive* n'est en moyenne « que » de 7 %.

Adresses
Toutes les coordonnées des associations et centres cités se trouvent en pages 56 et 57.

L'entraide bénévole

– « SOS Suicide Phénix » est la seule association se consacrant exclusivement aux suicidants. Elle leur propose de s'entretenir régulièrement, seuls ou en groupe, par téléphone ou dans les locaux de l'association, avec l'un de ses 150 bénévoles formés par des psychologues. L'association dispose de plusieurs centres, à Paris, Lyon, Bordeaux, Clermont-Ferrand, le Havre, Rennes et Tours. En 1990, elle a reçu au total plus de 5 000 visites et 3 000 appels téléphoniques.

– Les lignes d'écoute, comme par exemple celle de « SOS Amitié » et du « Fil Santé Jeunes », recueillent elles aussi des appels faisant état d'idées suicidaires. Le succès de ces lignes, qui repose sur l'anonymat, va grandissant ; preuve que les situations de détresse se multiplient, et que la nécessité « d'en parler » s'impose enfin.

Des professionnels engagés

Employant des professionnels médicaux et paramédicaux, « Impasse et devenir » intervient dès la sortie d'un service de réanimation. Elle propose aux jeunes suicidants une thérapie familiale*, sur la base de trois entretiens. C'est une version approfondie et élargie de l'entretien réalisé par le psychiatre à l'hôpital (*voir* pp. 26-27). De son côté, « Recherche et Rencontres » accueille des adultes désinsérés socialement et souffrant de troubles psychologiques. En 1992, 15 % des personnes reçues au sein de « Recherche et Rencontres » avaient déjà fait une ou plusieurs tentatives de suicide. L'association compte huit centres, pour la plupart conventionnés*, dont deux à Paris, les autres à Lyon, Toulouse, Marseille, Grenoble, Nantes et Brive. La prise en charge, qui dure en moyenne deux ans et demi, passe par des entretiens individuels et des activités de groupes avec des psychologues et des assistants sociaux.

L'isolement et le sentiment d'exclusion aggravent le risque suicidaire. D'où l'importance de créer de nouvelles structures d'accueil, d'écoute et de prise en charge, à l'image du Centre Abadie à Bordeaux.

La famille, au carrefour de la culpabilité

Pour les proches, la survenue d'une tentative de suicide est une épreuve très rude. Elle peut aussi constituer le point de départ d'une nouvelle rencontre avec le suicidant.

Un acte retentissant

L'auteur d'une tentative de suicide* réalise un acte d'une rare violence. À ce prix, il devient un objet de soins et d'attention extrême. La présence et l'énergie d'une équipe médicale est mobilisée ; ses proches font cercle autour de lui ; parents, amis, collègues veulent comprendre les raisons d'un tel acte. Pour le suicidant* c'est l'occasion, pour la première fois peut-être, de se faire réellement entendre. Mais cela ne va pas sans culpabilité de sa part : la plupart des suicidants sont préoccupés par la réaction de leur entourage. On aboutit toutefois à cette situation paradoxale où une personne a risqué la mort pour se rendre davantage présente, vivante, importante aux yeux des autres.

La tentation du déni

Dans les familles, la survenue d'une TS fait naître toutes sortes de sentiments à l'égard du suicidant : chagrin, colère, impression d'être agressé ou trahi. Parfois, c'est la culpabilité et le remords qui dominent. Les parents d'un adolescent suicidaire se reprocheront, par exemple, de ne pas s'être occupés suffisamment de leur enfant. Mais le plus souvent, les familles ne savent pas dans un pareil moment se mettre à l'écoute de l'un des leurs.

Elles réagissent à l'événement perturbateur en adoptant des attitudes défensives. La plus répandue est celle d'une banalisation extrême de l'acte : l'entourage en vient à considérer qu'il ne s'est rien passé, tout au plus un caprice ou une bêtise, voire une erreur. Ainsi, ce père dont la fille a tenté de se noyer prétendra que l'adolescente est « *tombée en faisant son jogging* ».

Non-dits familiaux
Méfions-nous des familles où « tout baigne ». L'absence de confrontation, en particulier entre les générations, peut masquer des conflits importants. Chez les adolescents, des tensions familiales trop longtemps contenues peuvent conduire à la formation d'idées suicidaires.

DÉFINITION | STATISTIQUES | CLINIQUE | SOINS

Mais le sac à dos de la jeune fille était lesté de lourdes pierres... Cette attitude amène de nombreux parents à refuser tout soutien psychologique à leur enfant.

À l'inverse, certaines familles vont dramatiser l'acte à l'extrême. Elles chercheront à ne plus voir dans le geste mortifère* que celui d'un malade mental, qu'il faut confier d'urgence au psychiatre. Elles abandonnent ainsi toute responsabilité morale.

Thérapies familiales

Qu'elles soient accablées de culpabilité, ou bien qu'elles nient la réalité, les familles des suicidants ont à l'évidence besoin, elles aussi, d'un soutien psychologique. Dès le « réveil » du suicidant, les soignants devront entreprendre un travail d'explication, d'élaboration, de façon à aider l'entourage à percevoir tout ce que porte, comme quêtes diverses, le geste de leur proche (besoin d'être aimé, de s'affirmer, de trouver sa place...).

À l'hôpital général, à de rares exceptions près, rien n'est prévu pour un tel suivi (*voir* pp. 26-27). De leur côté, les spécialistes encouragent les proches des suicidants à entreprendre des thérapies familiales* brèves (trois entretiens peuvent parfois suffire), avec le psychothérapeute de leur choix.

> L'auteur d'une tentative de suicide « force » l'attention de son entourage. Mais les familles ne sont pas toujours prêtes à entendre la souffrance cachée derrière l'acte. Une thérapie familiale peut permettre aux deux parties de mieux se comprendre.

En parler pour l'éviter

Le suicide se heurte à un mur de silence qui alimente toutes sortes de préjugés. Prévenir le suicide, c'est donc, d'abord, combattre les idées reçues.

En parler !

« *Le suicide, parlons-en !* ». Ce slogan est purement imaginaire. Aucune campagne d'information pour le grand public n'a jamais cherché à briser le mur du silence autour de ce grave problème.

Et pour cause. Les mentalités sont encombrées de préjugés, dont celui-ci : le suicide est contagieux.

Or ceux qui se battent sur le terrain sont tous d'accord sur

Le Cri, (1893). d'Edvard Munch (1863-1944).

ce point : parler, c'est prévenir. « *Il faut donner la parole au suicidaire* avant l'acte, au suicidant* pour éviter la répétition du geste, aux proches du suicidé* pour éviter l'enfermement dans une culpabilité mortifère** », lit-on dans le rapport du Conseil économique et social (*voir* pp. 28-29).

Les éducateurs – parents, enseignants, etc. – ne doivent pas hésiter à aborder le sujet avec les jeunes dont ils s'occupent. En milieu scolaire, ce souci doit être pris très au sérieux. En effet, sur des adolescents fragiles, l'acte suicidaire produit une fascination qui

| DÉFINITION | STATISTIQUES | CLINIQUE | SOINS |

peut entraîner un désir d'imitation. En aidant les élèves à surmonter la perte de l'un de leurs camarades de classe, on évitera des suicides chez les lycéens.

Se souvenir !

– Rappelons-nous que la crise suicidaire peut survenir chez tout un chacun, que « ça » n'est pas une maladie, très rarement l'acte d'un malade mental.

– N'oublions pas d'exprimer nos sentiments à nos proches. Les témoignages d'amour sont le plus sûr rempart contre les idées suicidaires.

– Ne jugeons pas le suicide comme une faute ou un délit, ni leurs auteurs comme des délinquants, comme nous y inciterait l'emploi du mot « récidiviste » pour qualifier l'auteur de plusieurs tentatives.

– Souvenons-nous qu'il n'y a pas de tentative anodine : 63 % de ceux qui tentent de se suicider n'attendent pas un an pour recommencer. La vigilance doit rester de mise pendant cette période et même au-delà.

Proposer !

Parmi les préjugés les plus tenaces, il y a celui qui tend à faire croire que, aussi longtemps qu'une personne parle de se suicider, elle ne le fait pas. Or, s'il est normal de s'interroger sur le sens de la vie et de la mort, menacer de se tuer ne l'est pas. Pour l'entourage, qualifier cette menace-là de « chantage », et ne plus y prêter attention, est une piètre façon de réagir.

Aider un suicidant c'est, d'abord, être convaincu que la mort n'est pas, pour lui, la solution. Si la mort le tente, il est important de comprendre – et de l'aider à comprendre – de quelle « mort » il s'agit : veut-il réellement en finir ou bien veut-il mettre un terme à des souffrances insupportables ?

À ce stade, l'orientation vers un thérapeute – psychiatre*, psychothérapeute*, psychanalyste* – est une nécessité. Malgré tout leur bon vouloir, les amis, les collègues, la famille ne sauraient se substituer à des professionnels aguerris.

> « On ne pourra jamais l'empêcher [le suicide], mais en parlant, en expliquant, on gagnera du temps. Et pendant ce laps de temps-là, bien des choses peuvent changer... »
> **Nadine Gabin, psychanalyste, citée par Pascale Leroy in « Suicide », magazine Talents, juin-juillet-août 1994.**

En l'absence de grande campagne de prévention, les connaissances du grand public sur le suicide sont limitées à quelques vagues notions. Alors, à chacun d'entre nous de diffuser l'information la plus sérieuse possible !

Adolescents : les signaux d'alarme

Chez les jeunes, le geste suicidaire est précédé de signes avant-coureurs. Mais l'entourage ne les détecte pas toujours. Quelques pistes pour y voir plus clair.

Idées noires

Il est tentant de ranger les idées noires parmi les « symptômes » classiques de l'adolescence. Toutefois, même si elles sont fréquentes dans cette période, tous les jeunes n'ont pas pour autant des idées suicidaires. Selon diverses enquêtes menées auprès des adolescents (scolarisés ou non), la proportion de filles qui pensent au suicide est comprise entre 40 et 50 %, tandis qu'elle n'est « que » de 20 % chez les garçons. Ces idées donneront lieu, pour une part non négligeable d'entre eux, à un passage à l'acte (un garçon sur 14 et une fille sur 12).

Menaces et dons d'objets

La menace de se suicider (ex. : « *Je vais me foutre en l'air* ») est à prendre au sérieux. Mais des propos moins explicites, tels que « *Je ne vous embêterai plus* », « *Vous allez avoir la paix* », « *Si ça continue* »... le sont tout autant. De même que le don récent d'objets de valeur (ex. : sa mobylette, son blouson préféré...).

Changements de comportement

Une transformation brutale du caractère n'est jamais de bon augure. Aussi doit-on s'inquiéter, par exemple, lorsqu'un garçon habituellement calme devient « agité », ou qu'une jeune fille dynamique ne veut plus rien entreprendre.
Le repli sur soi est fréquent : le jeune ne veut plus voir ses amis, il se désintéresse de tout. Quand les résultats scolaires baissent d'un seul coup, et d'une façon importante, c'est un autre signe que l'adolescent va mal. Même inquiétude s'il se lance avec excès dans le travail, et que cette ardeur s'accompagne d'angoisses (peur d'échouer) et d'obsessions (quête de perfection).

DÉFINITION | STATISTIQUES | CLINIQUE | SOINS

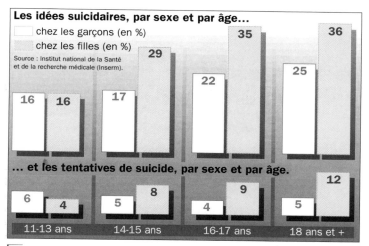

Les idées suicidaires, par sexe et par âge...

- ☐ chez les garçons (en %)
- ☐ chez les filles (en %)

Source : Institut national de la Santé et de la recherche médicale (Inserm).

	11-13 ans	14-15 ans	16-17 ans	18 ans et +
garçons	16	17	22	25
filles	16	29	35	36

... et les tentatives de suicide, par sexe et par âge.

	11-13 ans	14-15 ans	16-17 ans	18 ans et +
garçons	6	5	4	5
filles	4	8	9	12

Conduites à risque

Toute conduite qui s'inscrit dans un processus destructeur, quelle que soit la part de l'individu qui est visée (ce n'est pas forcément le corps), peut avoir un prolongement suicidaire. Ainsi, à travers l'absentéisme scolaire ou professionnel (pour les jeunes adultes), par exemple, l'adolescent « détruit » son avenir. Même chose, lorsqu'il commet des actes de délinquance ou devient dépendant d'une drogue. Parmi les autres conduites à risque, retenons la fugue, des actes de violence « gratuite », un engouement démesuré pour les sports « de l'extrême » (comme le saut à l'élastique), ou pour la conduite « sportive » (excès de vitesse).

Troubles de la santé

La somatisation* aidant, les adolescents aux idées suicidaires ont un état de santé général moins bon que les autres jeunes de leur âge. Ils sont plus fatigués, dorment mal, se plaignent fréquemment de maux de ventre (pour les filles) ou de tête (pour les garçons). Leur humeur passe par des phases de surexcitation, puis d'abattement. On les sent particulièrement nerveux, émotifs, angoissés. En classe, leur capacité d'attention et de concentration est faible. C'est aussi parmi ces jeunes qu'on observe le plus de troubles de la conduite alimentaire. Avec l'anorexie* féminine, le risque suicidaire devient maximal.

La proportion de passages à l'acte ne diffère guère entre les garçons et les filles, bien que celles-ci aient plus souvent qu'eux des idées suicidaires.

> Avec 40 000 tentatives de suicide, 1 000 morts par an et une propension marquée aux conduites à risque, les jeunes doivent tout particulièrement requérir l'attention. Aux adultes d'être à leur écoute.

Dans l'Antiquité : l'héroïsme avant tout

Les sociétés grécque et romaine ont tergiversé entre la condamnation du « meurtre de soi-même » et sa glorification, comme marque d'héroïsme.

Chez les Grecs : tolérance selon les motifs

La société grecque est imprégnée de croyances superstitieuses et craint le pouvoir maléfique des suicidés*. Ainsi à Athènes, Sparte, Thèbes et Chypre, un homme qui s'est donné la mort s'expose à des sanctions *post mortem*. Son cadavre est privé de sépulture, soumis à des rites purificatoires et enterré loin de la cité.

Dans la pratique, les mœurs sont beaucoup plus indulgentes. Tout candidat au suicide peut soumettre les raisons qui le poussent à se tuer à l'assemblée du peuple qui décide de l'acceptation ou du rejet de la demande. Les motifs « louables » permettent non seulement d'échapper aux sanctions, mais encore d'être reconnu comme un héros.

Ainsi la Grèce antique favorise les suicides qu'elle juge exemplaires : suicides patriotiques, de Démosthène (IVe siècle av. J.-C.) et de Isocrate (IVe-IIIe siècle av. J.-C.) ; suicide d'honneur, de Cléomène III (−236, −219) ; suicide par fidélité à une idée, de Pythagore (VIe siècle av. J.-C.) ; suicide pour échapper à la vieillesse, de Démocrite (vers −460, vers −370). À l'exception notable d'Aristote (−384, −322) et de Platon (−428, −348), les philosophes grecs recommandaient le « meurtre de soi-même » à ceux qui risquaient de perdre leur dignité en raison de l'âge, de la maladie, de la misère ou du déshonneur. La doctrine stoïcienne (fondée par Zénon, vers −335, vers −264) voyait même dans le suicide la liberté suprême, à tel point qu'on a pu parler de « suicide philosophique ». Les sages grecs furent d'ailleurs nombreux, de Socrate (−470, −399) à Épicure (−341, −270), en passant par Zénon, Diogène (−413, −327) ou encore Hégésias (vers −300), à se donner la mort.

> **La liberté ou la mort !**
>
> Caton d'Utique s'est tué par fidélité à un idéal, la République, qu'il avait défendue aux côtés des partisans de Pompée. Après la victoire de César en 45 av. J.-C., mais alors que sa vie n'était nullement menacée, il plongea son épée dans sa poitrine, puis, constatant qu'il vivait encore, rouvrit la plaie de ses mains et déchira ses entrailles.

La Mort de Caton
par **Luca Giordano**
(1634-1705).
Tableau exposé
au musée Denon
de Chalon-sur-
Saône.

Rome : frénésie du suicide politique

À Rome, jusqu'au IIIᵉ siècle, la mort volontaire n'est pas interdite et les funérailles des suicidés se déroulent normalement. L'importance du stoïcisme* chez les élites explique en grande partie cette tolérance. Deux catégories sociales sont toutefois interdites de suicide : les esclaves, pour d'évidentes raisons économiques, et les soldats, par égard pour le devoir patriotique.

Comme en Grèce, certains suicides sont valorisés. Ainsi en va-t-il de celui des femmes qui ne veulent pas survivre à leur mari ou à un viol (ex. : Lucrèce, femme d'un patricien au VIᵉ siècle av. J.-C.), et de celui des hommes qui veulent échapper au déshonneur, à un ennemi ou à la vieillesse. On ne compte plus les Romains célèbres qui ont mis fin à leurs jours (plus de trois cents entre le Vᵉ siècle et le IIᵉ siècle avant notre ère).

Un niveau record est atteint dans la Rome des années de la Guerre civile et du début de l'Empire (de –133 à –27), mais il s'agit alors de suicides politiques, dont le plus connu est celui de Caton d'Utique, en 46 avant J.-C. (*voir* encadré).

La réprobation du suicide finira cependant par gagner l'Empire romain à partir de la dynastie des Antonins (IIᵉ siècle). Deux raisons à cela : d'une part, l'engouement pour le platonisme, considérant le suicide comme une offense à la divinité (*voir* pp. 40-41), et l'instauration du « colonat » dans les campagnes d'autre part, qui octroie aux maîtres un droit de propriété sur les paysans qu'ils emploient. À partir du IIIᵉ siècle, la législation romaine sanctionne le suicide par la confiscation des biens du suicidé*.

> Les philosophes grecs, et en particulier les stoïciens, lèvent le tabou du suicide jusqu'à en faire une institution noble. Mais l'Empire romain renouera avec la condamnation du suicide avant même le triomphe du christianisme.

Au Moyen Âge : un crime contre Dieu et l'Église

Dans une Europe décimée par la famine et les épidémies, l'Église et la noblesse s'allient pour lutter contre le suicide, source de pertes en vies humaines.

Les bases théologiques

La position officielle de l'Église à l'égard du suicide est formalisée, pour la première fois, au Ve siècle, par ces mots de saint Augustin (354-430) : « *Nous disons, nous déclarons et nous confirmons de toute manière que nul ne doit spontanément se donner la mort (...).* » N'ayant trouvé aucun texte chrétien condamnant le suicide, l'évêque justifie son interdiction par le cinquième commandement de Moïse : « *Tu ne tueras point* ». Il reprend également à grands traits la philosophie de Platon (–428, –348), dominante à son époque, afin d'appuyer cette autre idée : la vie est un don sacré de Dieu, seul Dieu peut donc en disposer (*voir* pp. 38-39).

Cette offensive devrait mettre un terme à l'engouement pour le martyre volontaire qui s'était emparé des premiers chrétiens. Des milliers d'entre eux, persuadés que la vie terrestre n'était rien en comparaison du royaume des cieux, avait suivi l'exemple du Christ en se livrant à la mort.

Miniature datant du XIVe siècle représentant un fou en train de se suicider.

Vade retro, Satana !

Pour détourner le chrétien de la tentation du suicide, l'Église a recours à une littérature pieuse qu'elle distille dans les sermons dominicaux. L'idée générale est qu'il ne faut jamais désespérer, car un miracle est toujours possible. Mais le repoussoir le plus efficace, c'est Satan : on épouvante le peuple avec d'horribles visions de l'Enfer où sont précipités les malheureux qui ont attenté à leurs jours.

À partir du XIᵉ siècle, l'Église propose un remède : la confession, qui permet d'obtenir le pardon des péchés et la réconciliation avec Dieu. Ceux qui se tuent, malgré tout, ne peuvent plus attendre aucune pitié : au XIIᵉ siècle, le droit canonique* refuse aux suicidés* la sépulture ecclésiastique, c'est-à-dire l'inhumation au cimetière accompagnée des prières d'usage. Ils se voient ainsi traités comme des excommuniés et des hérétiques.

Cruauté des sanctions civiles

Le droit civil* vient renforcer l'opprobre par des ordonnances d'une extrême cruauté, visant, selon les mêmes superstitions qui avaient cours dans l'Antiquité, à empêcher les suicidés de revenir importuner les vivants. Les cadavres sont généralement cloués à une claie, traînés en public jusqu'à une potence où on les pend, la tête en bas. Mais il existe des variantes. À Zurich, en Suisse, on enfonce un bout de bois dans le crâne du suicidé s'il s'est tué au couteau ; on l'ensevelit sous le sable s'il s'est noyé ; on l'enterre avec trois grosses pierres sur la tête, le ventre et les pieds s'il s'est jeté d'une hauteur.

Dans certaines régions d'Allemagne, le cadavre est pendu, enchaîné et abandonné sur place ; en Angleterre, le suicidé est cloué au sol par un pieu qui lui traverse la poitrine...

Pour l'entourage, contraint d'assister à ces spectacles épouvantables, s'ajoute à partir du début du XIIIᵉ siècle une autre épreuve : la confiscation des biens.

Selon les régions d'Europe, celle-ci frappe tout ou partie des biens. Parfois s'y ajoute la coutume du « ravoyre », qui consiste à saccager la maison et les cultures.

> **L'endura des cathares**
> Les adeptes du catharisme, mouvement religieux du XIᵉ à la fin du XIIIᵉ siècle avaient leur suicide rituel, l'endura : il consistait en un jeûne prolongé. Les cathares qui avaient obtenu le titre de « Parfait » devaient se laisser mourir pour obtenir le salut éternel. Mais en réalité, bien peu souscrivaient à cette pratique.

> Damnation éternelle et confiscation des biens : c'est la double condamnation pour les suicidés au Moyen Âge.

La levée des tabous

C'est à la fin de la Renaissance au XVIᵉ siècle, puis sous l'influence des philosophes des Lumières* au XVIIIᵉ siècle que la dépénalisation du suicide peut enfin s'amorcer.

Recul de l'obscurantisme

La Renaissance voit la remise en cause de toutes les valeurs. On conteste les normes, on expérimente toutes les hypothèses. Les humanistes s'interrogent sur l'interdit chrétien et la réprobation sociale qui frappent le suicide. En 1600, le dilemme énoncé par Shakespeare, « *Être ou ne pas être...* » (*Hamlet*), expose leurs interrogations sur la liberté de chacun face à la vie et à la mort. À partir de 1700, le débat sur le suicide s'amplifie en Europe, si l'on en croit l'importance des traités qui lui sont consacrés.

De plus, l'époque est au « suicide romantique », comme le montre la littérature : *La Nouvelle Héloïse* (1761) de Rousseau (1712-1778), *Les Souffrances du jeune Werther* (1774) de Gœthe (1749-1832), etc.

Le ni... ni... ni... de Hume et d'Holbach

En 1770, David Hume (philosophe écossais, 1711-1776) et le baron d'Holbach (philosophe français, 1723-1789) font paraître simultanément deux traités favorables au suicide. Dans chacun d'eux on peut lire que le suicide n'est ni une offense à Dieu (argument religieux), ni une violation des droits de la société (argument politique), ni un acte contre nature (argument naturaliste).

Chacune de nos actions change le cours de la nature, explique Hume (*Essai sur le suicide*). Se tuer ne le change pas plus que n'importe quel autre acte volontaire.

Donc, « *si la vie humaine était le domaine particulier du Tout-Puissant, au point de faire de sa disposition un empiètement sur les droits divins, ce serait criminel que d'agir pour la préservation aussi bien que pour la destruction de la vie* ». Plus loin, il écrit qu'« *un homme qui se retire de la vie ne fait pas de mal à la société ; il cesse simplement de faire du bien ; ce qui, si c'est un tort, en est un des plus mineurs* ».

« Y a-t-il pour l'âme plus de noblesse à endurer les coups et les revers d'une injurieuse fortune, ou à s'armer contre elle pour mettre fin à une marée de douleurs ? Mourir : dormir, c'est tout. Calmer enfin, dit-on, dans le sommeil, les affreux battements du cœur (...). » **William Shakespeare** (1564-1616), **Hamlet,** 1600.

| DÉFINITION | STATISTIQUES | CLINIQUE | SOINS |

On nous dit que la nature inscrit en l'homme l'amour de la vie, rappelle à son tour d'Holbach (*Système de la nature*).

Mais « *lorsque rien ne soutient plus en lui l'amour de son être, vivre est le plus grand des maux* ».

Une victime irresponsable

Dans le même temps, les philosophes s'intéressent aux causes du suicide.

La Mort de Lucrèce par **Guido Cagnacci** (1601-1681).
Tableau exposé au musée des Beaux-Arts de Lyon.

C'est dans la physiologie (Montesquieu, Buffon...) et la psychologie de l'individu (Voltaire et Whytt, médecin anglais, auteur du *Traité des maladies nerveuses* en 1777) qu'il vont les trouver. Peu à peu s'impose l'idée selon laquelle l'acte suicidaire relève essentiellement de la folie. Du coup, le suicidé* n'apparaît plus comme un criminel, mais comme une victime irresponsable.

Les jurys populaires, qui répugnaient à ruiner et à déshonorer les familles des suicidés, appuient cette façon de penser en multipliant des sentences, reconnaissant que l'individu était fou au moment de l'acte fatal.

Les jurys populaires montrent d'autant plus de clémence à l'égard du peuple que les condamnations pour suicide lui étaient pour ainsi dire réservées : ni la noblesse ni le clergé n'étaient frappés par des sanctions, et l'on se tuait en toute impunité à la Cour !

À la fin du XVIIIᵉ siècle, la dépénalisation est en cours un peu partout en Europe. En France, la Révolution lève les sanctions contre la mort volontaire, mais sans l'approuver : le citoyen doit garder sa vie pour la patrie.

À l'époque des Lumières, l'excuse de la folie remplace les anciennes croyances populaires et religieuses. Du coup, le suicide n'apparaît plus comme relevant de la justice ou de la religion, mais de la médecine.

L'Orient : un autre regard

Autant le christianisme a voulu bannir la mort volontaire en Occident, autant les grandes religions orientales ont prêché ses vertus en Asie.

Suicides sacrés des hindous

Pénétrés par la croyance en la métempsycose*, les hindous ont la certitude de renaître plusieurs fois, mais ils ignorent tout de leur condition future ; ils savent toutefois qu'elle dépendra étroitement de leurs actes présents et passés. Tout l'enseignement de l'hindouisme* vise à libérer l'homme du cycle de ses renaissances successives (*samsara*), considérées comme autant d'épreuves au long d'une vie terrestre placée sous le signe de la douleur. Dans l'espoir de hâter la délivrance de leur âme (stade du *nirvana*), les hindous s'exercent au renoncement absolu par la pratique de rituels dont le suicide apparaît comme la forme exacerbée. Le recours à l'autocrémation et à l'épuisement par le jeûne, comme méthodes privilégiées de suicide en Inde, vient d'ailleurs souligner le détachement des hindous à l'égard de leur corps.

Suicides altruistes des shintoïstes

À la mort de leur mari, les femmes hindoues issues des hautes castes se laissaient brûler vives sur le bûcher funéraire emportant le cadavre de leur époux. Cette coutume, appelée la *sati*, s'est maintenue jusqu'à l'indépendance de l'Inde, en 1947, avant de céder la place à un rite symbolique (la veuve s'allonge un court instant sur le bûcher éteint). Mais c'est au Japon, avec l'épopée des kamikazes de 1944-1945, que la dimension sacrificielle (ou altruiste) du suicide, très présente dans les mentalités orientales, s'est manifestée avec ostentation. Le geste de ces milliers de « bombes humaines » allant se jeter avec enthousiasme contre les cibles américaines ennemies s'explique en regard des valeurs promues par le Shinto (religion officielle du Japon jusqu'en 1945) : mépris de la vie, culte des défunts,

assimilation des vertus physiques aux vertus morales. Mais il souleva en 1945, en Occident, autant d'incompréhension et de sentiment d'horreur que les attentats-suicides qui ensanglantent actuellement le Proche-Orient au nom de l'islamisme*.

Place Dauphine à Paris en janvier 1994 : un jeune homme s'immole par le feu.

Suicides de protestation des bouddhistes

Le 25 novembre 1970, l'intellectuel japonais Yukio Mishima s'ouvrait le ventre selon un rituel pratiqué par les samouraïs (guerriers) et les aristocrates japonais du Xᵉ au XIXᵉ siècle : le *hara-kiri*. Par cet acte, il entendait condamner l'abandon, par la société moderne, des valeurs qui avaient fait la grandeur du Japon impérial. La mort de l'écrivain s'inscrit dans la tradition orientale du suicide de protestation des fidèles du bouddhisme*, religion à laquelle appartenait Mishima. Partout où elle s'est répandue, en particulier en Chine et au Vietnam, des bonzes (moines bouddhistes) se sont immolés par le feu pour attirer l'attention sur des situations qu'ils jugeaient intolérables. En Occident, où la sagesse bouddhiste a fait de nombreux adeptes, le Praguois Yan Pallach a donné au suicide de protestation une remarquable illustration : en 1969, alors que les troupes russes ont envahi la Tchécoslovaquie, il s'arrose d'essence et s'immole sous les yeux de ses compatriotes.

> En Orient, la mort volontaire est considérée comme un mode d'expression respectable. Les grandes religions d'Asie lui confèrent en outre un caractère sacré.

Le suicide et la loi française

Tout citoyen français a le droit de se tuer, mais pas d'inciter les autres à le faire. De plus, certaines dispositions du code civil jouent en défaveur du suicide.

Le suicide est légal

Depuis 1810, la tentative de suicide* n'est plus punissable en droit français. Rien n'interdit donc au suicidant* de se tuer, mais si on l'oblige à vivre contre sa volonté, il ne peut pas saisir la justice pour « *réparation d'un préjudice subi* ». En revanche, quiconque est témoin d'un geste suicidaire ou convaincu du risque imminent d'un tel geste, et qui ne porte pas secours à l'individu en péril, peut être poursuivi pour non-assistance à personne en danger, en vertu de l'article 63 alinéa 2 du code pénal.

Il existe donc bien un droit du suicide, mais pas de droit au suicide.

L'affaire *Suicide mode d'emploi*

La confusion entre « *liberté de disposer de soi-même* » et « *rôle et devoir des tiers à protéger une personne en danger* », est à l'origine de la parution en 1982 du livre *Suicide mode d'emploi*. Dans cet ouvrage étaient répertoriées des recettes permettant de mourir sans douleur et à coup sûr. Plusieurs dizaines de suicides, en particulier d'adolescents, ont été directement imputés à ce livre, de telle sorte qu'on en a interdit la vente en France. Selon ses auteurs, un tel guide se justifiait « *parce qu'un droit n'est rien sans les moyens de l'exercer* ».

L'émotion suscitée par cette affaire a conduit à la loi du 31 décembre 1987, promulguée sous la forme d'une adjonction au code pénal, au regard de laquelle la provocation au suicide constitue un nouveau délit. Sont donc passibles de peines correctionnelles ceux qui s'en rendent coupables.

| DÉFINITION | STATISTIQUES | CLINIQUE | SOINS |

Dispositions du code civil

Le droit français introduit une distinction entre le « *suicide conscient* », c'est-à-dire délibéré et réfléchi, et le « *suicide inconscient* » ou involontaire. La question, surtout en droit civil*, a son importance. En effet, certains organismes comme les assurances, la Sécurité sociale... peuvent suspendre le versement de certaines primes ou prestations après un suicide considéré comme volontaire. En matière d'assurance vie, par exemple, les compagnies sont exonérées du versement du capital en cas de « suicide conscient » intervenant moins de deux ans après la signature du contrat. De même, les prestations sociales ne sont plus versées aux ayants droit d'une personne décédée si elle s'est donné la mort « en toute conscience ».

Dans la pratique, on peut craindre que la difficulté, voire l'impossibilité, à produire la preuve du caractère « conscient » ou « inconscient » d'un suicide rendent aléatoire l'application de ces règles. Le législateur, pour sa part, considère comme preuve majeure du « suicide conscient » des déclarations anticipées du suicidant*, par écrit ou verbalement, évoquant l'intention de se supprimer.

En revanche, dans le cadre particulier de la succession, le code civil ne tient pas compte de la distinction « conscient, inconscient ». Il n'opère pas non plus de distinction entre les bénéficiaires d'un suicidé ou d'un défunt décédé par mort naturelle : les bénéfices testamentaires sont les mêmes pour tous.

S'il existe en France un droit du suicide, inscrit dans les codes pénal et civil, il n'y a pas de droit au suicide. Toute propagande en faveur de la mort volontaire tombe sous le coup de la loi.

L'assistance au suicide

L'euthanasie n'est plus universellement condamnée. Des médecins ou des proches responsables de la mort de malades incurables sont de plus en plus souvent jugés avec clémence.

Euthanasie volontaire, euthanasie sociale

L'euthanasie est l'acte, ou l'omission, qui provoque la mort dans l'intention de mettre fin à une existence marquée par la souffrance. Si l'acte est commis à la demande du malade, on parle d'euthanasie volontaire. Mais il arrive que le geste soit effectué sans le consentement du patient : par pitié, désir de « soulager » une famille ou un service hospitalier, voire pour des motifs économiques. On parle en ce cas d'euthanasie sociale. En revanche, quand un malade lucide et responsable refuse des traitements que le médecin juge indispensables pour prolonger sa vie, il n'y a pas lieu de parler d'euthanasie. La responsabilité du médecin n'est pas engagée puisqu'il s'est plié à une décision de l'intéressé.

La question de l'euthanasie volontaire, qualifiée également de « suicide médicalement assisté » ou encore « d'assistance au suicide », rejoint celle, tout aussi contestée, du « droit au suicide » (*voir* pp. 46-47).

L'euthanasie est-elle éthiquement acceptable ?

Deux tendances s'affrontent. L'une fait appel à la notion des droits individuels et affirme que l'homme a le droit de mettre fin à sa vie quand il le juge souhaitable, et le droit d'obtenir une assistance quand il n'est plus capable d'accomplir lui-même un tel geste ; avant de répondre à une telle demande, il suffit de vérifier que cette personne a pris sa décision librement et en pleine conscience.

L'autre tendance met en avant les conséquences sociales : dénaturation de l'image du médecin, si celui qui soigne devient celui qui tue, et pression exercée sur ceux qui se

| DÉFINITION | STATISTIQUES | CLINIQUE | SOINS |

sentent devenus inutiles (vieillards, malades incurables, handicapés). Qu'un droit de demander la mort leur soit reconnu, certains malades se sentiront coupables de ne pas demander à « bénéficier de la loi » et de ne pas « délivrer » ainsi leurs proches, et la société en général, de la charge qu'ils représentent, même s'ils n'ont pas perdu tout désir de vivre.

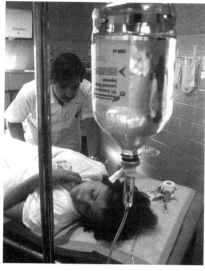

La légalisation en marche

Si l'on met à part le décret hit-lérien du 1ᵉʳ septembre 1939, qui dissimulait sous l'idée d'euthanasie le programme d'un véritable massacre, la pre-mière loi au monde autorisant l'euthanasie est entrée en vigueur, en juillet 1996, dans l'État du Territoire du Nord, en Australie (*voir* encadré). Aux États-Unis, la cour d'appel de Californie a rendu en mars 1996 un arrêt « historique », qui pourrait faire jurisprudence, en estimant que « *chaque individu dispose du droit constitutionnel de choisir le moment et la manière de sa propre mort* ».

En Europe (en Suisse, Grèce, Danemark, Islande, Finlande, Allemagne, Autriche et Pays-Bas), de nom-breuses législations admettent une atténuation de la peine pour les cas d'euthanasie volontaire. Les tribunaux font souvent preuve de clémence et vont jusqu'à prononcer l'acquittement, mais l'euthanasie reste condamnée par la loi.

En France, la demande du malade – ou de ses proches – qu'on mette fin à ses jours n'exonère en aucune manière le médecin d'une faute pénale et déontologique. Lorsqu'ils sont connus, de tels gestes peuvent conduire les parquets* à ouvrir une information pour meurtre, la famille ou les proches ayant la possibilité de se constituer partie civile.

Faut-il maintenir en vie ou non des malades incurables ? Faut-il mettre fin à leurs souffrances ? Autant de questions qui alimentent le débat sur l'euthanasie.

Le débat éthique sur l'euthanasie pose le problème du choix entre le respect des libertés individuelles et la protection des membres les plus vulnérables de la société.

Le suicide philosophique

Ses fondements, ses variantes, et son poids dans l'histoire de la pensée philosophique, au détour du geste de Gilles Deleuze, qui s'est donné la mort en 1995.

« Je vous recommande ma mort, la mort volontaire, qui vient à moi parce que je le veux. »
Nietzsche, Ainsi parlait Zarathoustra (1883-1885).

« La condition de l'homme est bonne, nul n'étant malheureux que par sa faute. La vie te plaît ? Vis. Elle ne te plaît pas ? Tu peux retourner d'où tu es venu. »
Sénèque, Lettres à Lucilius (Iᵉʳ siècle).

« Ce n'est pas aux gens aimables de se tuer. »
Voltaire (1694-1778), Correspondance.

Savoir sortir à temps

Le philosophe Gilles Deleuze a affronté de nombreux problèmes : cinéma, littérature, esthétique... et jusqu'à la définition de la philosophie. Sa mort par suicide, le 4 novembre 1995, a suivi et brisé le mouvement de sa pensée : atteint de graves troubles respiratoires et contraint à l'immobilité, il s'est jeté par la fenêtre de son appartement parisien.

Parce qu'il était philosophe, on est tenté de parler d'un suicide « philosophique ». Dans l'Antiquité, celui-ci était l'apanage de l'homme qu'animaient les valeurs suprêmes de liberté, de courage, de dignité et de fidélité, et qui savait « *sortir à temps* » (*voir* pp. 38-39). Les écrits du stoïcien* latin Sénèque au Iᵉʳ siècle, en proposent une autre version : le suicide par « dégoût de la vie » et sentiment de l'absurdité de l'existence, auquel il oppose la toute-puisssance du moi*. En attendant trop des plaisirs de ce monde, pense Sénèque, les hommes s'exposent aussi à ses tourments. Or les vrais richesses sont en nous : seul le moi peut se donner des lois, et quand tout semble perdu, il reste la seule force agissante capable de nous délivrer du fardeau de l'existence.

La dérision protège

Toutefois, l'Histoire montre que ce ne sont pas toujours les philosophes du désespoir, de l'angoisse et de l'absurde qui quittent volontairement l'existence. Ni Kierkegaard (1813-1855), père de l'existentialisme et auteur du *Traité du désespoir*, mais soutenu par la foi, ni Schopenhauer (1788-1860), pour qui le puissant attachement à la vie (« le vouloir-vivre ») apparaît pourtant comme dérisoire, n'ont mis fin à leurs jours. Quant à Nietzsche (1844-1900),

| DÉFINITION | STATISTIQUES | CLINIQUE | SOINS |

il a eu la « *révélation* » de ce que serait la vie au-delà du nihilisme, c'est-à-dire après la perte de toutes les valeurs : une vie enfin pénétrée par la lumière de la connaissance, qu'il célèbre comme « *le grand Midi* ». Mais bien qu'il ait conçu sa mort comme le point de passage obligé entre l'homme de la décadence, « *l'ancien homme* », et le « *surhomme* », qu'il appelle de ses vœux, Nietzsche n'a pas clôt lui-même son destin.

Le philosophe Gilles Deleuze, gravement malade, a choisi de mettre fin à ses jours.

⌐ « L'abandon de toute liberté » ?

La question de la mort volontaire fut très débattue parmi les philosophes des Lumières*, mais jamais considérée par eux comme un modèle d'attitude philosophique. Pas plus d'ailleurs que pour les philosophes de l'absurde, nos contemporains.

Le suicide est qualifié par Jean-Paul Sartre (1905-1980) d'« *abandon de toute liberté* » et par Karl Jaspers (1883-1969), d'« *action qui transgresse la vie* ».

Albert Camus (1913-1960), pour qui « *juger que la vie vaut ou ne vaut pas la peine d'être vécue, c'est répondre à la question fondamentale de la philosophie* », n'a pas non plus choisi le suicide, mais sa sublimation : « *Par le seul jeu de la conscience, je transforme en règle de vie ce* [monde absurde] *qui était invitation à la mort, et je refuse le suicide.* »

Mourir pour des valeurs ou à cause d'une absurdité qui les nie, tels sont les sens possibles du suicide philosophique. Mais cela n'implique pas qu'un philosophe doive se donner la mort, ni que tous les suicides de philosophes soient de nature philosophique !

Penser le suicide aide à vivre

Emil Cioran, essayiste français d'origine roumaine, est mort naturellement à l'âge de 84 ans. Mais l'« idée » de suicide a nourri son œuvre et sa vie.

L'« idée » prime sur l'acte

L'œuvre de Cioran (*voir* encadré) est une immense variation autour de la question du suicide. Elle occupe toute une partie du *Mauvais Démiurge*, revient de façon lancinante dans le *Précis de décomposition*, et les plus noirs aphorismes des *Syllogismes de l'amertume* lui sont consacrés. Ce serait pourtant un contresens total de voir dans l'auteur de *De l'inconvénient d'être né* un apôtre de la mort volontaire. Pour Cioran, en effet, le suicide est une « idée » – jamais un acte – qui n'a de réelle valeur que si elle reste une idée. « *Nous sommes maîtres d'une résolution d'autant plus alléchante que nous ne la mettons pas à profit (...) et lors même que nous finirions dans l'expiration traditionnelle, nous aurions eu un trésor dans nos abandons : est-il plus grande richesse que le suicide que chacun porte en soi ?* », questionne ainsi Cioran dans le *Précis de décomposition*.

Survivre à l'existence

Pour Cioran, la vie n'est rien, seulement « *un état de non-suicide* ». En revanche, l'« idée » de suicide, par les pensées qu'elle fait naître, arrive à donner du prix – à défaut d'un sens – à la vie. « *Je ne vis que parce qu'il est en mon pouvoir de mourir quand bon me semblera : sans l'idée de suicide je me serais tué depuis toujours* », écrit Cioran dans les *Syllogismes de l'amertume*. Le désespoir que trahissent ces lignes ne doit rien à un quelconque exercice de style.

Il prend sa source dans les années de jeunesse de l'auteur, quand celui-ci fait l'expérience bouleversante de l'insomnie, cette « *lucidité vertigineuse qui convertirait le paradis en un lieu de torture* ». À l'âge de 22 ans, épuisé par ces nuits de veille où la pensée s'exaspère, il songe à

| DÉFINITION | STATISTIQUES | CLINIQUE | SOINS |

Des titres évocateurs

Né en 1911 à Sibiu, en Roumanie, Emil Cioran vivait à Paris depuis l'âge de 26 ans. Il récusait le statut de philosophe et fuyait les médias. Il est mort en 1995 après avoir donné au nihilisme quelques-unes de ses plus belles pages, sous des intitulés évocateurs :
Sur les cimes du désespoir (1933),
Le Livre des leurres (1936),
Des larmes et des saints (1937),
Crépuscule des pensées (1940),
Bréviaire des vaincus (1944),
Précis de décomposition (1949),
Syllogismes de l'amertume (1952),
La Tentation d'exister (1956),
Histoire et Utopie (1960),
La Chute dans le temps (1964),
Le Mauvais Démiurge (1969),
De l'inconvénient d'être né (1973),
Aveux et Anathèmes (1987).
Ses œuvres complètes sont publiées chez Gallimard.

se donner la mort. Au lieu de cela, il écrit *Sur les cimes du désespoir*, son premier livre.

Le remède par la légèreté

Le seul suicide auquel pourrait souscrire Cioran serait le suicide stoïcien* : celui qui naît d'un « *dégoût serein* » de l'existence. Mais toute son œuvre exprime combien il est difficile, voire inhumain, de parvenir au détachement et à l'indifférence. De plus, jusque dans l'acte de se tuer, comment l'homme échapperait-il à l'illusion ?

La légèreté serait, au fond, la seule réponse au désenchantement du monde. Cioran en trace les contours dans son *Précis de décomposition*. « *Personne n'atteint d'emblée à la frivolité. C'est un privilège et un art ; c'est la recherche du superficiel chez ceux qui, s'étant avisés de l'impossibilité de toute certitude, en ont conçu le dégoût ; c'est la fuite loin des abîmes, qui, étant naturellement sans fond, ne peuvent mener nulle part* ».

> Pour Cioran, la vie n'est rien. En revanche, l'« idée » de suicide, par les pensées qu'elle fait naître, arrive à donner du prix – à défaut d'un sens – à la vie.

Van Gogh, « suicidé de la société » ?

Le suicide du peintre, à l'âge de 37 ans, a donné lieu à de multiples tentatives d'explication. À commencer par celle de l'écrivain français Antonin Artaud.

Les suicidés de la littérature

- Walter Benjamin
- Paul Celan
- Arthur Cravan
- René Crevel
- Malcolm Lowry
- Romain Gary
- Francis Giauque
- Ernest Hemingway
- Heinrich von Kleist
- Vladimir Maïakowski
- Yukio Mishima
- Henri de Montherlant
- Gérard de Nerval
- Cesare Pavese
- Jacques Rigaut
- Marina Tsvetaïeva
- Jacques Vaché
- Ernst Weiss
- Virginia Woolf
- Stefan Zweig.

La mort viendra et elle aura tes yeux.
Titre d'un recueil de poèmes de Cesare Pavese (1908-1950)

Une tristesse infinie

Quelque temps avant sa mort, en juillet 1890, Vincent Van Gogh (1853-1890) se plaint de ce que la peinture est un acte de l'esprit qui « *épuise la cervelle* ». Cette idée revient à plusieurs reprises dans sa correspondance avec ses proches, en même temps qu'il souffre de crises nerveuses et d'hallucinations. Deux ans plus tôt, en décembre, Paul Gauguin (1848-1903) est venu le rejoindre en Arles. Leur cohabitation est orageuse et Gauguin envisage de partir. Vincent le menace d'un rasoir, puis, après la fuite de son ami, se tranche l'oreille. C'est la première des « crises » de Van Gogh, et la cause de son internement à l'hôpital d'Arles. Depuis cet événement, Vincent est pris dans un discours médical qui le donne pour fou. Mais ses dernières lettres font surtout état d'une tristesse infinie. À la veille de commettre l'acte fatal, il avoue : « *Je me sens raté. Voilà pour mon compte. Je sens que c'est là le sort que j'accepte et qui ne changera plus.* »

Acculé au suicide

Un demi-siècle plus tard, en 1947, Antonin Artaud (1896-1948) récuse la thèse du découragement. Dans un livre-réquisitoire, *Van Gogh, le suicidé de la société*, il soutient que Vincent a été acculé au suicide. L'écrivain se remet avec peine d'un long internement en asile psychiatrique. Neuf années durant, les médecins se sont acharnés à lui rendre la raison. Artaud se sent alors totalement solidaire du peintre et il accuse : « *On ne se suicide pas tout seul. Nul n'a jamais été seul pour naître. Nul non plus n'est seul pour mourir. Ce n'est pas à force de chercher l'infini que Van Gogh est mort (...) c'est à force de se le voir refusé par la tourbe de ceux qui, de son vivant même, croyaient détenir* »

| DÉFINITION | STATISTIQUES | CLINIQUE | SOINS |

l'infini contre lui... » Cette « tourbe », c'est la famille de Van Gogh et plus encore son médecin psychiatre, le Dr Gachet. Pour l'écrivain, il ne fait pas de doute que c'est la psychiatrie, suppôt de la société bien pensante, qui a tué Vincent.

Portrait de Vincent Van Gogh peint par son ami Paul Gauguin vers 1888.

Tous « divorcés de la vie »

La thèse d'Artaud est elle-même controversée aujourd'hui. Mais elle a eu le mérite d'attirer l'attention sur le rôle de la folie réelle ou supposée dans le suicide de certains artistes. C'est le cas pour Francis Giauque, écrivain français suicidé* en 1965 : « *Ils appellent ça "psychonévrose". Ce linceul répandu sur toutes mes pensées, sur tous mes gestes.*» Mais aussi pour Virginia Woolf, qui s'est noyée volontairement en 1941 : « *Il me semble que je suis en train de devenir folle. J'ai lutté mais je n'en puis plus.* » Ou encore pour Gérard de Nerval (1808-1855), contemporain « maudit » de Van Gogh, retrouvé pendu après un énième séjour à la clinique du Dr Blanche à Paris.

À la formule accusatrice d'Artaud, on pourrait peut-être substituer celle de Dostoïevski (1821-1881), « *Nous sommes tous des divorcés de la vie* » et rendre hommage aux artistes qui ont poussé plus loin que leurs propres limites l'interrogation fondamentale de l'homme sur le sens de sa vie.

> Le suicide semble avoir avec la création un rapport intime : il en va à la fois du malheur de l'artiste et de sa libération. Cette contradiction, ce dilemme, Vincent Van Gogh les a éprouvés avec une particulière intensité.

Adresses utiles

**Il suffit parfois d'un lien, d'une écoute,
pour faire renaître l'espoir. Les associations
et structures médicales que nous indiquons
dans ces pages n'offrent pas de « solutions miracles »,
mais des aides psychologiques très concrètes.**

Accueil et prise en charge des suicidants

Unité médico-psychologique de l'adolescent et du jeune adulte, ou Centre Abadie :
accueille des jeunes suicidants*
de 15 à 34 ans pour des séjours
de cinq à dix jours.
89, rue des Sablières, 33000 Bordeaux.
Tél. secrétariat : 56 79 58 69.
Équipe soignante : 56 79 58 45.

Recherche et Rencontres :
entretiens psychologiques, consultation médicale, groupes d'expression.
Paris : 61, rue de la Verrerie, 75004.
Tél. : (1) 42 78 19 87.
Lyon : 78 28 77 93 ;
Toulouse : 61 25 61 40 ;
Marseille : 91 54 85 32 ;
Grenoble : 76 87 90 45 ;
Nantes : 40 08 08 10 ;
Brive : 55 23 49 95.

SOS Suicide Phénix :
écoute et entretiens psychologiques.
Paris : 36, rue de Gergovie, 75014.
Tél. : (1) 40 44 46 45 ;
Lyon : 78 52 55 26 ;
Bordeaux : 56 96 49 04 ;
Clermont-Ferrand : 73 90 45 45 ;
Le Havre : 35 43 24 25 ;

Saint-Brieuc (association Vie-Espoir 2000) : 96 78 02 03.

Psychothérapie du suicidant et de sa famille

Impasse et Devenir :
19, rue des Feuillantines, 75005 Paris.
Tél. : (1) 43 25 02 01.

Centre de thérapie familiale Monceau :
5, rue Jules-Lefèbvre, 75009 Paris.
Tél. : (1) 42 85 55 21.

Céccof (Centre d'études cliniques des communications familiales) :
96, avenue de la République,
75011 Paris. Tél. : (1) 48 05 94 33.

Cris (Centre de réflexion et d'intervention sur le suicide) :
3, rue Charles-Baudelaire,
75012 Paris. Tél. : 44 75 54 54.

Lignes d'écoute (respect de l'anonymat)

SOS Amitié :
une écoute 24/24h, pour les petites et grandes angoisses.
Tél. : (1) 42 93 31 31
ou : (1) 42 96 26 26.

SOS Suicide Phénix :
Tél. : (1) 40 44 46 45.
Pour la province, se reporter
aux numéros indiqués p. 56.

Fil Santé jeunes : 05 23 52 36
(appel gratuit).

Allô Enfance maltraitée : 05 05 41
41 (appel gratuit).

Allô Enfance et Partage : 05 05 12
34 (appel gratuit).

SOS-Viol : 05 05 95 95
(appel gratuit).

Inter Service Parents : pour les
parents confrontés à des problèmes
familiaux. Tél. : (1) 44 93 44 93.

Information aux familles et aux éducateurs

Phare Enfants-Parents : 7, rue Parrot,
75002 Paris. Tél. : (1) 43 07 80 68.

Consultations médicales

Certains centres hospitaliers régionaux (CHR) et universitaires (CHU)
ont mis en place des consultations
spécifiques pour les adolescents
et les jeunes adultes, principalement
dans leurs services de psychiatrie.
La prévention du suicide est l'une
de leurs missions. Le ministère de
la Santé ne pouvant fournir une liste
exhaustive de ces lieux de consultations, le mieux est de se renseigner
auprès des hôpitaux de sa région.

NUMÉROS D'URGENCE

SAMU : le 15
Police : le 17
Pompiers : le 18
Centre anti-poisons à Paris :
tél. : (1) 40 37 04 04.
Pour connaître les numéros
de téléphone des onze centres
anti-poisons en province,
appeler le répondeur
de l'association Orfila :
tél. : (1) 45 42 59 59.

Glossaire

Abus sexuels : les enfants victimes de pratiques ou de relations sexuelles imposées développent, plus que les autres, des tendances suicidaires. Rappelons que ces abus sont passibles de peines allant de cinq ans de prison à la réclusion criminelle à perpétuité.

Anorexie (mentale) : privation de nourriture imposée à soi-même, pouvant parfois conduire à la mort. Touche principalement des nourrissons et des adolescentes.

Autolyse : terme impropre utilisé pour désigner le suicide. Il signifie en réalité la destruction des tissus par leurs enzymes.

Autre (L') : en psychanalyse, désigne l'objet d'amour (à l'origine, la mère), et par extension les personnes aimées.

Bouddhisme : religion née en Inde au VIᵉ siècle avant l'ère chrétienne et qui prône le culte du Bouddha. Elle a conquis une grande partie de l'Asie mais a aujourd'hui presque complètement disparu de son pays d'origine, au profit de l'hindouisme.

Clinique (science, étude) : somme des connaissances acquises par l'observation et l'écoute approfondies des malades. Pratiquée par des (médecins) cliniciens.

Conduites à risque : comportements dangereux par lesquels une personne se trouve dans un état proche du suicide ou de la tentative, mais où la mort n'est pas consciemment recherchée.

Conduites suicidaires : comportements par lesquels une personne met délibérément sa vie en danger.

Conventionné : qui a passé une convention avec un organisme officiel (notamment avec la Sécurité sociale) permettant en général à l'usager d'obtenir le remboursement d'une partie de ses frais médicaux.

Droit canonique (ou canon) : ensemble des règles et des décrets édictés par l'Église délimitant les droits et obligations des fidèles.

Droit civil : ensemble des lois régissant les rapports entre les citoyens.

Épidémiologie : étude des rapports existant entre un phénomène pathologique et divers facteurs (physiques, mentaux, affectifs, ethniques, etc.) susceptibles d'exercer une influence sur sa fréquence, sa distribution, son évolution.

Freud (Sigmund) : neurologue et psychiatre autrichien (1856-1939), « père » fondateur de la psychanalyse et auteur de la théorie du dualisme pulsionnel (« pulsion de vie »/« pulsion de mort »).

Hindouisme : religion qui se développe en Inde à partir du début de l'ère chrétienne sur la base de croyances et de rites très anciens regroupés sous le nom de brahmanisme. Ses principaux dieux sont Vishnou et Shiva.

Incidence : nombre de cas apparus pendant une période de temps donnée au sein d'une population.

Islamisme : à l'origine, synonyme pour islam, la religion musulmane. Désigne actuellement l'idéologie politico-religieuse des musulmans partisans d'une stricte application de l'islam (intégristes).

Lacan (Jacques) : psychiatre et psychanalyste français (1901-1981). Il interprète l'inconscient comme un langage, en distinguant le signifié (le sens) du signifiant (le support du sens : les mots).

Lavage gastrique (ou d'estomac, fam.) : procédé utilisé pour évacuer rapidement un produit nocif contenu dans l'estomac (notamment après une intoxication médicamenteuse volontaire). Outre son efficacité, ce procédé est connu pour son caractère très douloureux et

| DÉFINITION | STATISTIQUES | CLINIQUE | SOINS |

son utilisation parfois étendue à des malades hors de danger dans l'intention de les dissuader de recommencer.

Létal(e) : qui provoque la mort (se dit d'un produit, d'une dose).

Lumières : mouvement philosophique du XVIIIᵉ siècle, caractérisé par la croyance dans le progrès humain, par la foi dans la raison, la défiance à l'égard de la religion et de la tradition. Ces idées, pour l'essentiel, sont rassemblées dans l'*Encyclopédie*, œuvre collective animée par Diderot et d'Alembert.

Mélancolie : *voir* psychoses.

Métempsycose : doctrine selon laquelle une même âme peut animer successivement plusieurs corps humains ou animaux, et même des végétaux.

Moi : instance qui maintient l'unité de la personnalité en permettant l'adaptation au principe de réalité, la satisfaction partielle du principe de plaisir et le respect des interdits émanant du surmoi.

Morbide : qui tient de la maladie, qui en est l'effet. Par extension, désigne ce qui est inquiétant, malsain, anormal.

Mortifère : qui tend vers la mort (se dit d'un sentiment, d'un discours).

Narcissisme : attachement affectif à soi-même qui se développe chez l'enfant lorsqu'il se sent aimé.

Névroses : affections caractérisées par des troubles affectifs et émotionnels générateurs de symptômes (angoisse, phobies, obsessions, neurasthénie) mais qui n'altèrent pas les fonctions mentales de l'individu et que la psychanalyse se propose de soigner. Opposées à psychoses.

Ordalie : au Moyen Âge, épreuve par le feu ou l'eau envoyée par Dieu. Par extension, terme utilisé pour qualifier le comportement d'un individu « se jetant dans les bras du destin ».

Parquet : ensemble des magistrats chargés de réclamer l'application de la loi au nom de la société.

Pathologie : ensemble des manifestations d'une affection morbide. Discipline médicale étudiant ces manifestations. Au sens large du terme, synonyme de « maladie ».

Phlébotomie : incision d'une veine pour provoquer l'écoulement de sang.

Propagande : action systématique exercée sur l'opinion publique pour faire accepter certaines idées.

Protocole (médico-psychologique) : ensemble des règles et des principes de soins adoptés par une équipe médicale dans le cadre spécifique de telle ou telle pathologie.

Psychanalyse : méthode d'investigation de l'inconscient reposant sur l'interprétation symbolique des rêves, des associations d'idées, des lapsus, et des actes manqués. S'applique dans le cadre d'un dispositif original, la cure analytique, où le patient, allongé, parlant sans contrainte (pas de vis-à-vis), est amené à évoquer à travers son discours les situations pathogènes dont le souvenir a été refoulé dans l'inconscient.

Psychiatre : médecin spécialiste des maladies mentales. Il peut également être consulté pour de simples troubles psychologiques.

Psychiatrisation du suicide : vision consistant à interpréter le phénomène du suicide uniquement en termes de psychiatrie.

Psychisme : ensemble de l'appareil qui ordonne les manifestations de la vie mentale et psycho-affective (conscientes et inconscientes).

Psychopathie : maladie mentale caractérisée par l'instabilité, l'impulsivité, le rejet des contraintes et des limites, menant à des conduites antisociales.

Psychopathologie : étude des troubles mentaux, base de la psychiatrie.

Glossaire (suite)

Psychoses : maladies mentales caractérisées par la perte du sentiment de la réalité et s'accompagnant de délires, d'hallucinations. La démence, la manie, la mélancolie, la paranoïa et la schizophrénie sont des psychoses.

Psychosomatiques (maladies) : troubles organiques ou fonctionnels occasionnés, favorisés ou aggravés par des facteurs psychiques. La somatisation est le processus par lequel une souffrance psychique « prend corps » et forme un symptôme.

Psychothérapie : travail psychologique fondé sur des entretiens, en face-à-face, avec un psychologue, un psychiatre ou un psychanalyste. Distincte de la cure psychanalytique.

Psychotique : personne souffrant de psychoses.

Psychotropes : médicaments agissant sur le psychisme. On les répartit en quatre catégories : les tranquillisants, les hypnotiques, les antidépresseurs et les neuroleptiques. Leur abus est dangereux. 90 % des personnes qui tentent de se suicider avec des médicaments utilisent des psychotropes.

Pulsion : force psychique fondamentale qui pousse le sujet à accomplir une action visant à réduire une tension.

Réanimation : ensemble des moyens médicaux visant à rétablir et à maintenir un équilibre des fonctions vitales chez un individu.

Récidive : terme à connotation péjorative désignant la répétition d'un comportement suicidaire. S'emploie habituellement en criminologie pour qualifier la répétition d'une faute ou d'un délit.

Schizophrénie : *voir* psychoses.

Signifiant(s) : *voir* Lacan.

Somatisation : *voir* psychosomatique.

Stoïcisme : école philosophique née en Grèce au IIIe siècle avant J.-C. et qui eut de nombreux disciples à Rome (Cicéron, Marc Aurèle, Sénèque, etc.). Pour les stoïciens, l'homme parvient au bonheur par la maîtrise de ses désirs et l'acceptation de son sort. Mais il peut aussi se suicider par « dégoût serein de la vie » (*taedium vitae*).

Suicidaire : personne ayant le projet de se suicider ou de tenter de le faire.

Suicidant(e) : personne ayant tenté de se suicider.

Suicidé(e) : personne décédée par suicide.

Suicidogène : propre à induire un comportement suicidaire.

Suicidologie : étude du comportement suicidaire sous ses différents aspects (médical, psychologique, social).

Sujet (le) : l'être, envisagé comme une conscience libre et donatrice de sens.

Surmoi : élément du psychisme qui se constitue dans l'enfance par identification au modèle parental, et qui exerce un rôle de contrôle et de censure auprès du moi.

Tentative de suicide (TS, en jargon médical) : acte délibéré par lequel un individu se cause un préjudice physique dans l'intention de se donner la mort ou d'obtenir un changement d'état psychique et/ou physique, et dont l'issue n'est pas fatale.

Thérapie de groupe (ou familiale) : psychothérapie incluant l'entourage proche d'un patient.

Traumatisme : événement à forte incidence émotionnelle entraînant des troubles psychiques et/ou somatiques.

Bibliographie

Sociologie & Clinique

BAECHLER (Jean), *Les Suicides*, Calmann-Lévy, 1981.

CHABROL (Henri), *La Dépression de l'adolescent*, PUF, coll. « Que sais-je ? », 1991.

DAVIDSON (Françoise) et PHILIPPE (Alain), *Suicide et tentatives de suicide aujourd'hui, Étude épidémiologique*, Inserm-Doin, 1986.

DEBOUT (Michel), *Le Suicide, rapport du Conseil économique et social, journal officiel*, année 1993, n° 15.

DURKHEIM (Émile), *Le Suicide*, Payot, 1980.

FREUD (Sigmund), « Au-delà du principe de plaisir » in *Essais de psychanalyse*, Payot, Petite bibliothèque, 1989.

FREUD (Sigmund), « Deuil et mélancolie » in *Métapsychologie*, Gallimard, 1968.

HALBWACHS (Maurice), *Les Causes du suicide*, Alcan, 1930.

LA DOCUMENTATION FRANÇAISE, *Mortalité et morbidité violente dans la population des jeunes de 15 à 24 ans*, 1989.

MORON (Pierre), *Le Suicide chez l'enfant et l'adolescent : étude clinique et thérapeutique*, PUF, 1985.

VÉDRINNE (Jacques), QUÉNARD (Olivier), WEBER (Denis), *Suicide et conduites suicidaires*, Masson, 1981.

Dessins réalisés par de jeunes suicidants hospitalisés au Centre Abadie à Bordeaux (*ci-dessus* et p. 62).

Bibliographie (suite)

Culture & Philosophie

ARTAUD (Antonin), *Van Gogh ou le Suicidé de la société,* Œuvres complètes, vol. 13, Gallimard, 1974.

DELEUZE (Gilles), *L'Épuisé* (postface de *Quad* de Samuel Beckett), Minuit, 1992.

FORRESTER (Viviane), *Van Gogh ou l'enterrement dans les blés,* Seuil, 1993.

KIERKEGAARD (Sören), *Traité du désespoir,* Folio, 1990.

MADAME DE STAËL (Germaine), *Réflexions sur le suicide,* Œuvres complètes, Firmin-Didot, 1861.

MINOIS (Georges), *Histoire du suicide,* Fayard, 1995.

NIETZSCHE (Friedrich), *Ainsi parlait Zarathoustra,* Gallimard, 1947.

PAVESE (Cesare), *Le Métier de vivre,* Gallimard, 1977.

PINGUET (Maurice), *La Mort volontaire au Japon,* Gallimard, 1984.

ROUART (Jean-Marie), *Ils ont choisi la nuit,* Paris, Grasset, 1984.

SARTRE (Jean-Paul), *L'Être et le Néant,* Gallimard, 1943.

SÉNÈQUE, *Lettres à Lucilius,* Flammarion, 1992.

VAN GOGH (Vincent), *Correspondance générale,* Gallimard, vol. 1, 2, 3, 1990.

| DÉFINITION | STATISTIQUES | CLINIQUE | SOINS |

Index

Le numéro de renvoi correspond à la double page.

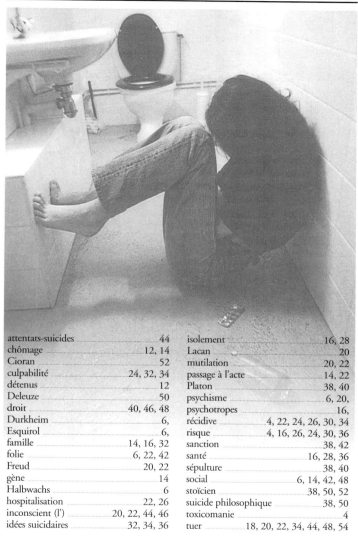

attentats-suicides	44
chômage	12, 14
Cioran	52
culpabilité	24, 32, 34
détenus	12
Deleuze	50
droit	40, 46, 48
Durkheim	6,
Esquirol	6,
famille	14, 16, 32
folie	6, 22, 42
Freud	20, 22
gène	14
Halbwachs	6
hospitalisation	22, 26
inconscient (l')	20, 22, 44, 46
idées suicidaires	32, 34, 36

isolement	16, 28
Lacan	20
mutilation	20, 22
passage à l'acte	14, 22
Platon	38, 40
psychisme	6, 20,
psychotropes	16,
récidive	4, 22, 24, 26, 30, 34
risque	4, 16, 26, 24, 30, 36
sanction	38, 42
santé	16, 28, 36
sépulture	38, 40
social	6, 14, 42, 48
stoïcien	38, 50, 52
suicide philosophique	38, 50
toxicomanie	4
tuer	18, 20, 22, 34, 44, 48, 54

Dans la collection *Les Essentiels Milan*
derniers titres parus

150 Les grandes interrogations esthétiques
151 Mythes et mythologies de la Grèce
152 Combattre l'exclusion
153 Le génie génétique
154 Les enfants dans la guerre
155 L'effet Téléthon
156 La francophonie
157 Petit précis de philosophie grave et légère
158 Du réalisme au symbolisme
159 Le stress
160 Jean-Paul II, le pape pèlerin
161 Les grandes interrogations de la connaissance
162 L'Algérie
111 Questions sur la Shoah
163 Du baroque au romantisme
164 La police en France
165 Le ministère des Affaires étrangères
166 L'argent de la France. À quoi servent nos impôts ?
167 Les violences conjugales
168 À quoi sert la grammaire ?
169 Guide du Pacs
170 La sophrologie
171 Lacan, le retour à Freud
172 Les présidents de la République française
173 L'empoisonnement alimentaire
174 Les styles en architecture

Dans la collection *Les Dicos Essentiels Milan*

Le dico du multimédia
Le dico du citoyen
Le dico du français qui se cause
Le dico des sectes
Le dico de la philosophie
Le dico des religions
Le dico des sciences
Le dico de l'amour et des pratiques sexuelles
Le dico de la psychanalyse et de la psychologie

Dans la collection
Les Essentiels Milan Du côté des parents

1 Le sommeil des bébés
2 Apprendre avec l'écran
3 Devenir parent d'adolescent
4 Pour une nouvelle autorité des parents
5 L'école maternelle
6 Les vrais dangers qui guettent l'adolescent
7 L'appétit des bébés
8 Comment va-t-il apprendre à lire ?
9 Devenir bon en mathématiques
10 L'intelligence de votre bébé…
11 Parent de fille, parent de garçon
12 Les passions de vos ados

Responsable éditorial
Bernard Garaude
Directeur de collection – Édition
Dominique Auzel
Secrétariat d'édition
Véronique Sucère
Correction – Révision
Jacques Devert
Iconographie
Sandrine Batlle
Conception graphique
Bruno Douin
Maquette
Isocèle
Fabrication
Isabelle Gaudon
Sandrine Bigot
Flashage
Exegraph

Crédit photos

Explorer : pp. 3, 23, 24, 27, 40, 49/
Musée de l'homme - coll. Destable :
pp. 4-5/ P. Massacret - Milan : 7, 18, 63/
Gamma : pp. 29, 45, 51/
Centre J. Abadie : pp. 30, 57, 61, 62/
D. Chauvet - Milan : pp. 33, 47/
Édimédia : pp. 34, 43, 55/
Roger-Viollet : p. 39/
Archives photos : p.53

*Les erreurs ou omissions
involontaires qui auraient pu
subsister dans cet ouvrage malgré
les soins et les contrôles de l'équipe
de rédaction ne sauraient engager
la responsabilité de l'éditeur.*

© 1996 Éditions MILAN
**300, rue Léon-Joulin,
31101 Toulouse Cedex 100 France**

Aubin Imprimeur, 86240 Ligugé. — D.L. mars 2000. — Impr. P 59799